18

LAURENTINO GOMES

1808
Como uma rainha louca, um príncipe medroso
e uma corte corrupta enganaram Napoleão e
mudaram a História de Portugal e do Brasil

15ª reimpressão

Planeta Jovem

Copyright © Laurentino Gomes, 2008

Coordenação editorial: Pascoal Soto
Ilustrações: Rita Bromberg Brugger
Capa: Alexandre Ferreira e Thaís dos Anjos Rezende
Linha do tempo (p. 12): Thaís dos Anjos Rezende
Consultoria de textos: Denise Ortiz
Adaptação de textos: Luiz Antonio Aguiar
Assistência editorial: Max Gimenes
Revisão de textos: Roberta Oliveira Stracieri
Projeto gráfico e diagramação: Alexandre Ferreira e Thaís dos Anjos Rezende

Dados Internacionais de Catalogação na Publicação (CIP)
(Câmara Brasileira do Livro, SP, Brasil)

Gomes, Laurentino

1808: como uma rainha louca, um príncipe medroso e uma corte corrupta enganaram Napoleão e mudaram a história de Portugal e do Brasil / Laurentino Gomes. – São Paulo: Editora Planeta do Brasil, 2008.

Bibliografia.
ISBN 978-85-7665-358-5

1. Brasil - História - D. João VI, 1808-1821 2. Brasil - História - Período Colonial 3. Carlota Joaquina, Rainha, consorte de João VI, Rei de Portugal, 1775-1830 4. Corte portuguesa 5. D. João VI, Rei de Portugal, 1767-1826 6. Literatura Juvenil I. Título.

08-01223 CDD-028.5

Índices para catálogo sistemático:
1. Família Real no Brasil : História: Literatura Juvenil 028.5

2015
Todos os direitos desta edição reservados à
Editora Planeta do Brasil Ltda.
Rua Padre João Manoel, 100 – 21º andar – Conj. 2101 e 2102
Edifício Horsa II – Cerqueira César
01411-000 – São Paulo – SP
www.planetadelivros.com.br
atendimento@editoraplaneta.com.br

"As pessoas fazem a História, mas raramente se dão conta do que estão fazendo."

Christopher Lee, *This Sceptred Isle — Empire*

SUMÁRIO

Introdução 9
Linha do tempo 12

Ameaçado por Napoleão, D. João abandona Portugal e foge para o Brasil. Antes de embarcar, raspa os cofres do governo. O povo, traído, chora no cais. **16**

Afligida por tempestades e infestações de piolhos, a corte atravessa o oceano. A chegada ao Brasil, um lugar ainda selvagem, ignorante e pouco habitado. **46**

D. João, um rei que tinha medo de trovões e caranguejos, desembarca no Rio de Janeiro. O encontro de dois mundos até então estranhos e distantes. **76**

Começa a grande transformação. O chefe da polícia tenta colocar ordem na casa. A invasão dos viajantes. A resistência do povo português a Napoleão. **110**

A corte de D. João se diverte nos trópicos. Portugal, abandonado, se revolta. É hora de retornar. A corte vai embora, mas deixa para trás um novo Brasil. **128**

1808

INTRODUÇÃO

O Brasil foi descoberto em 1500, mas, de verdade, só foi inventado como país em 1808. Foi quando a família real portuguesa chegou ao Rio de Janeiro fugindo das tropas do imperador francês Napoleão Bonaparte. Até então, o Brasil ainda não existia.

Pelo menos, não como é hoje: um país integrado, de dimensões continentais, fronteiras bem definidas e habitantes que se identificam como brasileiros. Até 1807, era apenas uma grande fazenda, de onde Portugal tirava produtos que levava embora. Ou seja, uma *colônia extrativista*, sem qualquer noção de identidade nacional.

As diferentes províncias eram relativamente autônomas. Não havia comércio nem estradas, meios de comunicação, nem, praticamente, contato entre elas. Tinham como único ponto de referência em comum o governo português, que ficava lá em Lisboa, do outro lado do Atlântico.

A vinda da corte transformaria radicalmente esse cenário. Uma semana depois do seu desembarque em Salvador, o regente D. João (que ainda não era João VI) anunciou a abertura dos portos. Além disso – uma medida muito importante –, na chegada ao Rio de Janeiro, liberou o comércio e a indústria manufatureira, o que, na prática, era o fim do sistema colonial.

Antes disso, o Brasil não podia comerciar com nenhuma nação, a não ser com Portugal. E não podia fabricar nada por aqui – livros, sapatos, louça de casa, tecidos; tudo era comprado de Portugal ou por intermédio de Portugal. Eram três séculos de monopólio português que terminavam. Finalmente, o Brasil integrava-se ao sistema internacional de produção e comércio.

Foi o começo das grandes mudanças. Em apenas treze anos, entre a chegada e a partida da corte, o Brasil deixou de ser uma colônia atrasada, proibida e ignorante, para se tornar uma nação independente. Nenhum outro período da história brasileira testemunhou mudanças tão profundas, tão decisivas, em tão pouco tempo.

Foi também um evento sem precedentes na história da humanidade. Nunca antes uma corte europeia havia cruzado um oceano para viver e governar do outro lado do mundo. D. João foi o único soberano europeu a colocar os pés em terras americanas em mais de quatro séculos de dominação.

O propósito de *1808* – na sua edição original, lançada no Brasil em setembro de 2007 e em Portugal em fevereiro de 2008, e agora também nesta versão juvenil – é contribuir para que esse acontecimento, tão importante na história de ambos os países, se torne cada vez mais conhecido pelos leitores brasileiros e portugueses. Nesta nova versão, o texto de *1808* foi editado pela jornalista Denise Ortiz. As informações foram condensadas e, sempre que necessário, reordenadas para facilitar a compreensão. Nesse trabalho, feito com a orientação do autor, Denise teve o cuidado de preservar todos os detalhes fundamentais que compõem a história da corte no Brasil, excluindo apenas alguns personagens e situações considerados acessórios. Os capítulos são ilustrados com cenas e personagens da época reproduzidos em aquarelas pela artista plástica Rita Bromberg Brugger. Gaúcha de Porto Alegre, Rita mora em Caxias do Sul e produz suas ilustrações com base em rigorosa pesquisa histórica.

Do mesmo modo, o texto de *1808*, nas suas duas versões, é todo fundamentado em referências bibliográficas. O resultado pretende ser, ao mesmo tempo, atraente e educativo para os interessados em conhecer um pouco mais sobre a grande aventura da fuga da corte de D. João para o Brasil.

LAURENTINO GOMES
São Paulo, março de 2008

Da Revolução Francesa à Independência do Brasil

Alguns dos acontecimentos que marcaram a época da fuga da família real portuguesa ao Brasil

1789 ❊ **George Washington** é eleito primeiro presidente dos Estados Unidos
❊ Revolucionários franceses tomam a Bastilha, prisão de Paris considerada símbolo da monarquia absoluta

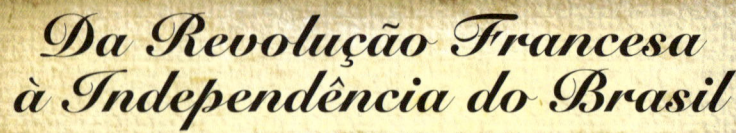

1790 ❊ A França adota o sistema decimal de pesos e medidas

1791 ❊ Rebelião de escravos massacra fazendeiros brancos na colônia de São Domingos, no Caribe
❊ **Wolfgang Amadeus Mozart** morre em Viena, de febre, aos 35 anos

1793 ❊ O rei Luís XVI e a rainha Maria Antonieta são executados na guilhotina, em Paris

1795 ❊ Aos 25 anos, **Napoleão Bonaparte** derrota as tropas austríacas na região da Itália

1797 ❊ O físico francês **André Jacques Garnerin** demonstra o seu invento, o paraquedas, saltando de um balão a mil metros de altura, em Paris

1798 ❊ As tropas de Napoleão conquistam o Egito

1799 ❊ Médicos portugueses começam a aplicar, em Lisboa, a vacina contra a varíola, descoberta pelo inglês **Edward Jenner**

1800   ※ O governo dos Estados Unidos é transferido para a nova capital, Washington

1801   ※ Napoleão é eleito cônsul perpétuo da França. A Espanha, sua aliada, derrota Portugal na "Guerra das Laranjas"

1802   ※ O presidente **Thomas Jefferson** compra da França o território da Luisiana e dobra o tamanho dos Estados Unidos

1803   ※ Na catedral de Notre Dame, Napoleão coroa a si mesmo imperador da França
       ※ O médico japonês **Hanaoka Seishu** faz a primeira cirurgia com uso de anestesia, para extirpar um câncer de seio da sua esposa

1805   ※ Sob comando de **Lord Nelson**, a Marinha britânica derrota a França e a Espanha na Batalha de Trafalgar e assume o controle absoluto dos oceanos
       ※ Em Austerlitz, Napoleão massacra as tropas aliadas da Rússia e da Áustria

1806   ※ A Inglaterra proíbe o tráfico de escravos em todos os seus domínios

1807 ※ Napoleão declara o bloqueio continental na Europa contra a Inglaterra e invade Portugal. A família real portuguesa foge para o Brasil
※ Richard Trevithick, o inventor da locomotiva a vapor, demonstra sua máquina em Londres

1808 ※ O príncipe D. João e a família real chegam ao Brasil. Forças britânicas e portuguesas derrotam Napoleão na Batalha de Vimeiro
※ **Goethe** publica, na Alemanha, a primeira parte de sua obra-prima, *Fausto*
※ **Ludwig Von Beethoven** faz, no Teatro de Viena, a primeira apresentação da *Quinta Sinfonia*

1809 ※ Robert Fulton patenteia, nos Estados Unidos, o barco movido a vapor

1811 ※ Os **irmãos Grimm** publicam, na Alemanha, seu primeiro livro de contos de fadas

1812 ※ Napoleão fracassa ao tentar invadir a Rússia. Os ingleses capturam Madri

1813 ※ Tropas aliadas derrotam Napoleão na Batalha de Leipzig

1814 ※ Donatien-Alphonse-François, o Marquês de Sade, morre, aos 74 anos, no asilo de Charenton, na França
※ O México declara sua independência da Espanha. "O Libertador" **Simon Bolívar** ocupa Caracas, capital da Venezuela

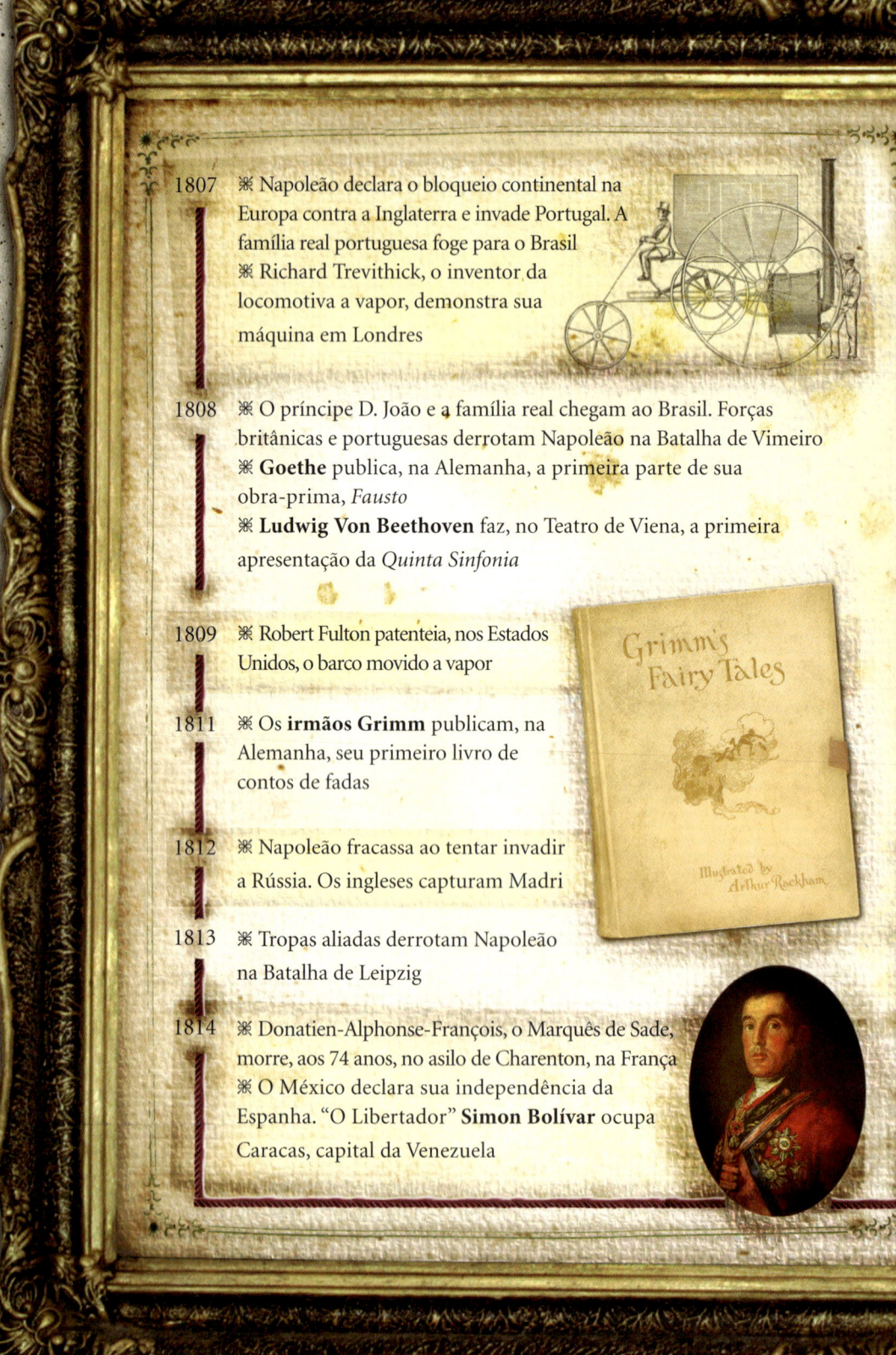

1815 ※ Tropas britânicas, sob o comando do **Duque de Wellington**, derrotam Napoleão na Batalha de Waterloo
※ O Congresso de Viena redesenha o mapa político da Europa

1816 ※ D. João VI torna-se rei de Brasil e Portugal depois da morte de sua mãe, **D. Maria I**, a "Rainha Louca". A coroação só ocorre dois anos mais tarde
※ A Argentina declara sua independência da Espanha

1817 ※ Revolução republicana é sufocada por tropas de D. João VI em Pernambuco

1818 ※ Em Londres, **Mary Shelley** publica *Frankenstein*

1819 ※ O *Savannah*, primeiro navio a vapor a cruzar o Atlântico, parte dos Estados Unidos e chega a Liverpool, na Inglaterra, em 26 dias

1820 ※ Revolucionários liberais portugueses tomam o poder na cidade do Porto e exigem a volta de D. João VI a Lisboa

1821 ※ O inglês Michael Faraday constrói o primeiro motor elétrico
※ Napoleão morre na Ilha de Santa Helena. Suspeita-se que tenha sido envenenado
※ D. João VI e a família real retornam a Portugal

1822 ※ Às margens do riacho Ipiranga, em São Paulo, **D. Pedro** proclama a Independência do Brasil

1

AMEAÇADO POR NAPOLEÃO, D. JOÃO ABANDONA
PORTUGAL E FOGE PARA O BRASIL.
ANTES DE EMBARCAR, RASPA OS COFRES DO GOVERNO.
O POVO, TRAÍDO, CHORA NO CAIS.

Napoleão Bonaparte

Imagine que, um dia, os brasileiros acordassem com a notícia de que o presidente da República havia fugido para a Austrália, sob a proteção de aviões da Força Aérea dos Estados Unidos. Com ele, teriam partido, sem aviso prévio, todos os ministros, os integrantes dos tribunais superiores de Justiça, os deputados e senadores e alguns dos maiores líderes empresariais. E mais: a esta altura, tropas da Argentina já estariam marchando sobre Uberlândia, no Triângulo Mineiro, a caminho de Brasília. Abandonado pelo governo e todos os seus dirigentes, o Brasil estaria à mercê de invasores dispostos a saquear tudo que encontrassem pela frente e a assumir o controle do país por tempo indeterminado. Provavelmente, todos os brasileiros se sentiriam traídos, sem saber o que fazer. E logo se espalharia entre eles o medo e a revolta.

Foi assim que os portugueses reagiram na manhã de 29 de novembro de 1807, quando circulou a informação de que a rainha, o príncipe regente e toda a corte estavam fugindo para o Brasil, sob a proteção da Marinha britânica.

Nunca algo semelhante tinha acontecido na história de qualquer outro país europeu. Em tempos de guerra, reis e rainhas haviam sido derrubados de seus tronos ou obrigados a se refugiar fora do país. Mas nenhum deles tinha chegado a cruzar um oceano para viver e reinar do outro lado do mundo.

Era, portanto, um acontecimento sem precedentes, tanto para os portugueses, que da noite para o dia se viam órfãos de sua monarquia, como para os brasileiros, habituados até então a serem tratados como uma simples colônia extrativista.

No caso dos portugueses, além da surpresa, havia um fator que piorava a sensação de abandono. Na época, duzentos anos atrás, as noções de Estado, governo e identidade nacional eram bem diferentes das que se tem hoje. Ainda não existia em Portugal a ideia de que todo poder emana do povo e em seu nome é exercido – o princípio fundamental da democracia.

No Brasil de hoje, se por uma circunstância inesperada todos os governantes fugissem do país, o povo poderia muito bem eleger um novo presidente, novos deputados e senadores. Ou seja, logo o Estado e seu governo estariam funcionando outra vez. As próprias empresas, depois de um período de incerteza pela ausência de seus donos ou dirigentes, logo poderiam retomar o trabalho.

Só que, em Portugal de 1807, não era assim. Não era o povo que escolhia seus governantes, não havia como *eleger* outro soberano.

Sem o rei, o país perdia o rumo. Sem ele, estavam ameaçadas toda a atividade econômica, a sobrevivência das pessoas, o governo e a independência nacional.

O rei era a própria razão de ser do Estado português.

Tudo em Portugal era o rei!

Para complicar ainda mais a situação, Portugal era um dos países mais atrasados da Europa no que diz respeito às ideias e à situação política. Ao contrário da Inglaterra

Carlota Joaquina

Palácio de Mafra

e da Holanda, em que a realeza ia gradativamente perdendo espaço para os grupos representados no Parlamento, em Portugal ainda vigorava a *monarquia absoluta*. Ou seja, o rei tinha o poder total. Cabia a ele não só criar as leis, mas também executá-las e interpretá-las da forma que julgasse mais adequada. Os juízes e as câmaras municipais funcionavam como meros braços auxiliares do monarca, que podia simplesmente contrariar suas opiniões e decisões, quando bem entendesse.

Com a fuga do rei, Portugal deixava de ser Portugal, passava a ser um território vazio e sem identidade. Seus habitantes ficavam entregues aos interesses e à cobiça de qualquer aventureiro que tivesse forças para invadir suas cidades e assumir o trono. E havia um sério candidato à vaga.

POR QUE O REI FUGIA?

Antes de explicar a fuga, é importante esclarecer que, nessa época, o Trono de Portugal não era ocupado por um rei, mas por um príncipe regente. D. João reinava em nome de sua mãe, D. Maria I – que era chamada de "a Rainha Louca". Declarada incapaz de governar por insanidade mental, a rainha vivia trancafiada no Palácio de Queluz, a cerca de dez quilômetros de Lisboa, a capital portuguesa.

D. João não tinha sido educado para dirigir os destinos do país. Era o segundo filho de D. Maria I. Seu irmão mais velho e herdeiro natural do trono, D. José, havia morrido de varíola em 1788, aos 27 anos.

D. João

A Queda da Bastilha (Revolução Francesa)

Napoleão Bonaparte

Além de despreparado para reinar, D. João era um homem solitário, muito malcasado. Em 1807, fazia três anos que vivia separado da mulher, a princesa Carlota Joaquina, uma espanhola geniosa e mandona com quem tivera nove filhos, um dos quais havia morrido antes de completar um ano. O casal dormia não apenas em camas separadas, mas em palácios distantes um do outro. Carlota morava em Queluz, com a rainha louca; D. João, em Mafra, na companhia de centenas de frades e monges que viviam à custa da monarquia portuguesa.

Situado a cerca de 30 quilômetros de Lisboa, o Palácio de Mafra era um dos ícones dos tempos de glória e abundância do império colonial português. Mistura de palácio, igreja e convento, era nesse edifício gigantesco e sombrio que D. João passava seus dias, entre reuniões com os ministros do governo e missas, orações e cânticos religiosos.

A FUGA

O príncipe regente era tímido, supersticioso e feio. No entanto, o principal traço de sua personalidade, e que se refletia no exercício do governo, era a indecisão. Como qualquer governante, ele estava sob constante pressão de grupos com interesses e opiniões conflitantes. As providências mais elementares o atormentavam e angustiavam para além dos limites – D. João sempre hesitava, e hesitava... até o último momento. Por isso, costumava delegar tudo aos ministros que o rodeavam.

Entretanto, em novembro de 1807, D. João foi colocado contra a parede e obrigado a tomar a decisão mais grave da sua vida. E seu adversário era ninguém menos do que o maior gênio militar que o mundo havia conhecido desde os tempos dos césares do Império Romano: Napoleão Bonaparte.

Em 1807, o imperador francês era o senhor absoluto da Europa. Seus exércitos haviam colocado de joelhos todos os reis e rainhas do continente, um após o outro derrotados de maneira surpreendente e brilhante. Só não haviam conseguido vencer a Inglaterra.

Protegidos pelo Canal da Mancha, os ingleses evitaram o confronto direto em terra com as forças de Napoleão. Ao mesmo tempo, haviam se consolidado como os senhores dos mares, na Batalha de Trafalgar, em 1805, quando sua Marinha de Guerra, sob o comando de Lord Nelson, destruiu, na entrada do Mediterrâneo, as esquadras combinadas da França e da Espanha. Napoleão reagiu decretando o Bloqueio Continental, ou seja, fechando os portos europeus ao comércio de produtos britânicos. Suas ordens foram imediatamente obedecidas por todos os países,

Rei George III, da Inglaterra

D. Maria

com uma única exceção: o pequeno e desprotegido Portugal.

A Inglaterra era uma antiga aliada de Portugal. Por isso, D. João relutava em ceder às exigências do imperador francês. Assim, em novembro de 1807, as tropas francesas marcharam em direção a Lisboa, prontas para varrer Portugal e chutar seu príncipe regente do Trono.

D. João sabia que ele e Portugal estavam numa enorme encrenca. Ou cedia a Napoleão e aderia ao bloqueio continental, ou aceitava a oferta dos aliados ingleses, que garantiam proteger o rei na viagem para o Brasil, levando junto a família real, a maior parte da nobreza, seus tesouros e todo o aparato do Estado.

Aparentemente, era uma oferta generosa. Na prática, tratava-se de uma chantagem. Se o príncipe regente ficasse do lado de Napoleão, os ingleses não só bombardeariam Lisboa e sequestrariam a frota portuguesa, como muito provavelmente tomariam suas colônias ultramarinas, das quais o país dependia para sobreviver.

Com o apoio dos ingleses, o Brasil, a maior e mais rica dessas colônias, certamente declararia sua independência mais cedo do que se esperava, seguindo o exemplo dos Estados Unidos e de seus vizinhos, nos territórios espanhóis. E, sem o Brasil, Portugal não seria nada.

Uma terceira alternativa seria permanecer em Portugal, enfrentar Napoleão e lutar ao lado dos ingleses na defesa do país, mesmo correndo o risco de perder o Trono e, quem sabe, a vida.

Os fatos mostrariam mais tarde que as chances de sucesso de D. João, caso tivesse tomado essa decisão, teriam sido grandes. Mas o inseguro e medroso regente jamais se atreveria a enfrentar um inimigo que julgava tão poderoso, e preferiu fugir.

OS REIS ENLOUQUECIDOS

O começo do século XIX foi um tempo de pesadelos e sobressaltos para reis e rainhas. Dois deles enlouqueceram. Na Inglaterra, o rei George III era visto de camisola nos corredores do palácio, com a cabeça envolvida numa fronha e um travesseiro nos braços, enrolado na forma de um bebê recém-nascido, que afirmava ser um príncipe chamado Octavius. Em Portugal, a rainha Maria I era perseguida por demônios. Seus gritos de terror ecoavam nas madrugadas frias e enevoadas do Palácio de Queluz.

Há duas explicações para comportamentos tão estranhos. A primeira, mais óbvia, é a de que os dois soberanos sofriam de doenças mentais cuja natureza até hoje médicos e cientistas tentam decifrar. A segunda explicação para a loucura dos reis é simbólica. Além de dementes e aliados políticos, George III e Maria I tinham em comum o fato de pertencerem a uma espécie que parecia condenada à extinção, na Europa de 1807 – a dos reis com trono.

Nunca, em toda a história da humanidade, as monarquias europeias tinham vivido tempos tão difíceis. Reis e rainhas eram perseguidos, destituídos, aprisionados, exilados, deportados ou mesmo executados em praça pública. Em resumo, era uma época em que os monarcas, literalmente, perdiam a cabeça.

Em 1807, Napoleão Bonaparte estava no auge do seu poder. Tratava-se de um homem de ambição e vaidades sem tamanho, inversamente proporcionais a sua baixa estatura, de 1,67 metro. Além disso, Napoleão era um gênio militar nato. Filho de uma família da pequena nobreza da Córsega, nascera em 1769. Aos 16 anos, já era tenente do Exército francês. Tinha só 24 anos quando foi promovido a general. Em 1804, com 35 anos, se autoproclamou Imperador da França. Mas, para Napoleão, não bastava governar a França. Seu plano era ser o imperador de toda a Europa. Na prática, esse título já lhe pertencia. Em 1808, com a virtual anexação da Espanha e de Portugal, conseguiu dobrar o tamanho do território francês original. Seus domínios agora incluíam a Bélgica, a Holanda, a Alemanha e a Itália.

Ao longo de uma década, Napoleão travou inúmeras batalhas contra os mais poderosos exércitos da Europa. Jamais fora derrotado. Reis, rainhas, príncipes, duques e nobres foram expulsos de seus tronos e substituídos por membros da família Bonaparte. O triunfo de Napoleão representava o fim de uma etapa na história europeia, conhecida como Velho Regime, em que os reis dominaram os seus países com poder absoluto.

Com a Revolução Francesa, em 1789, o povo, incitado pela burguesia, ocupou as ruas, destronou a realeza e implantou um regime que pregava justiça e participação popular no governo sob o lema "Liberdade, Igualdade, Fraternidade". Em pouco tempo, a Revolução fugia do controle dos seus líderes e o terror se espalhava pela França. Em 1793, o rei Luís XVI e a rainha Maria Antonieta foram decapitados na guilhotina, diante de uma multidão que aplaudia o espetáculo. O caos tomou conta do país.

Em 1796, o jovem oficial Napoleão assumiu o comando do exército com dois objetivos: botar ordem na casa e enfrentar a aliança das demais monarquias europeias, que agora partiam para a revanche – todas contra a França Revolucionária.

A partir daí, uma inacreditável sequência de eventos alteraria radicalmente o mapa da Europa. Napoleão criou a mais poderosa máquina de guerra que o mundo já vira. Os velhos e sólidos regimes monárquicos, que durante séculos mantiveram o poder relativamente estável, caíram um depois do outro. As guerras napoleônicas, que durariam duas décadas e meia, deixariam milhares de mortos nos campos de batalha e mudariam os rumos da história ocidental.

Nessa altura, Napoleão despertava medo e admiração tanto nos seus admiradores quanto nos seus inimigos. Lord Wellington, que em 1815 o derrotou definitivamente em Waterloo, dizia que, no campo de batalha, Napoleão sozinho valia por 50 mil soldados. O escritor François René de Chateaubriand, que era seu

O povo ocupa as ruas

adversário, o definiu como "o mais poderoso sopro de vida humana que já tinha passado pela face da Terra".

Foi este homem que o indeciso e medroso D. João, príncipe regente de Portugal, teve de enfrentar em 1807.

≈◦ PLANEJANDO A FUGA ◦≈

D. João precisava ganhar coragem e Portugal precisava ganhar tempo – mas tempo era o que nem Napoleão nem a Inglaterra queriam lhe dar. Assim, enquanto negociava melhores condições, D. João tentava blefar com os dois – um jogo perigoso, e que também não poderia durar muito.

Acontece que a ideia de mu- -dança para o Brasil vinha desde os tempos da Descoberta. E retornava sempre que o país tinha problemas.

No século XVI, Portugal fora uma potência que liderara a era das grandes navegações marítimas. Mas, agora, em 1807, não tinha mais braços nem exércitos para se defender na Europa e muito menos para colonizar e proteger seus territórios *além-mar*. Assim, viu-se, na prática, reduzido de novo ao pequeno país que sempre fora. E, para piorar, Portugal estava falido.

A guilhotina, o rei Luís XVI e a rainha Maria Antonieta

Portanto, a fuga para o Brasil, onde haveria mais riquezas naturais, mão de obra e, em especial, maiores chances de defesa contra os invasores do reino, foi uma opção evidente e bem avaliada.

Os meses que antecederam a partida foram tensos e agitados. No dia 19 de agosto de 1807, o Conselho de Estado se reuniu no Palácio de Mafra para discutir a situação. Composto de nove auxiliares mais próximos do príncipe regente, o Conselho era o mais importante órgão de assessoria da monarquia. D. João leu os termos da intimação de Bonaparte: Portugal deveria aderir ao Bloqueio Continental, declarar guerra à Inglaterra, retirar seu embaixador em Londres, expulsar o embaixador inglês de Lisboa e fechar os portos portugueses aos navios britânicos. Por fim, teria de prender todos os ingleses em Portugal e confiscar suas propriedades.

Tão amedrontado quanto o regente, o Conselho aprovou imediatamente as condições impostas por Napoleão, com duas ressalvas: os ingleses não seriam presos nem suas propriedades seriam confiscadas. Uma segunda reunião foi realizada, também no Palácio de Mafra, no dia 26 de agosto, na qual os termos da resposta a Napoleão foram aprovados e a correspondência imediatamente despachada para Paris.

Ou seja, enquanto fingia aceitar o ultimato da França, negociava com a Inglaterra, buscando condições menos desfavoráveis, algo que não fosse a pura e simples submissão a interesses alheios.

ENROLANDO NAPOLEÃO

De um lado a França, o maior e mais poderoso exército que a Europa já conhecera. Do outro, a Inglaterra, a maior e mais poderosa frota naval que a Europa já conhecera.

Entre os dois, Portugal, sem exército nem frota que impusesse respeito a ninguém...

Tudo o que Portugal tinha a seu favor era a precariedade das comunicações e dos transportes. Em 1807, o envio de uma carta de Lisboa para Paris demorava cerca de duas semanas. Os correios viajavam por estradas de terra esburacadas, que ficavam praticamente intransitáveis em dias de chuva. Para ir e voltar, gastava-se um mês ou até mais. De Lisboa a Londres, por mar, levava-se pelo menos sete dias.

A lentidão permitia aos portugueses ganharem tempo enquanto tentavam, ao mesmo tempo com a Inglaterra e com a França, a saída menos desonrosa possível.

Planos de mudança da corte

D. João entre França e Inglaterra

E, provavelmente, o tempo todo já sabendo que a vergonha da fuga sorrateira no meio da noite era o que de fato os aguardava.

Ao receber os termos da contraproposta portuguesa, Napoleão reagiu como se previa: mandou avisar que, se D. João não concordasse com suas exigências, Portugal seria invadido e a dinastia de Bragança, sobrenome da família real portuguesa, seria derrubada do Trono sem maiores considerações.

No dia 30 de setembro, reunido no Palácio da Ajuda, em Lisboa, o Conselho de Estado finalmente recomendou que o príncipe regente preparasse seus navios para partir. Em meados de outubro, a decisão de transferir a corte para o Brasil já estava tomada.

Por intermédio de seu embaixador em Londres, D. João tinha assinado um acordo secreto com a Inglaterra pelo qual, em troca da proteção naval durante a viagem para o Rio de Janeiro, abriria os portos do Brasil ao comércio com as nações estrangeiras. Até então, só navios portugueses tinham autorização para comprar ou vender mercadorias na colônia.

Enquanto fechava acordos secretos com a Inglaterra, D. João persistia naquele seu jogo de faz de conta com os franceses. Nas vésperas da partida, chegou a anunciar a proibição de entrada de navios britânicos nos portos portugueses, a prisão e o confisco de todos os bens de cidadãos britânicos residentes em Lisboa. Ao mesmo tempo, enviou um embaixador a Paris, o Marquês de Marialva, prometendo total capitulação aos franceses.

Marialva teve seu passaporte confiscado e ficou preso em Paris. No entanto, com a manobra, D. João conseguiu enganar Napoleão, fazendo-o crer, até as vésperas da partida, que Portugal se sujeitaria às suas ordens.

No dia 1º de novembro, o correio de Paris chegou a Lisboa com mais um recado assustador de Napoleão: "Se Portugal não fizer o que quero, a Casa de Bragança não reinará mais na Europa dentro de dois meses".

Enquanto isso, o exército francês já estava cruzando os Pirineus, a cadeia montanhosa na fronteira da França com a Espanha, em direção a Portugal. No dia 5 de novembro, o governo português ordenou finalmente a prisão dos ingleses residentes em Lisboa e o sequestro de seus bens. Como parte da política de fingimento, o próprio Conde da Barca, líder do partido francês na corte portuguesa, propunha o sequestro dos bens ingleses em Portugal, mas às escondidas negociava com os britânicos a indenização dos que fossem atingidos pela medida.

ENTREGANDO PORTUGAL

No dia 6 de novembro, a esquadra inglesa apareceu na foz do Rio Tejo, em território português, com uma força de 7 mil homens. Seu comandante, o almirante *sir* Sidney Smith, tinha duas ordens, aparentemente contraditórias. A primeira, e prioritária, era proteger o embarque da família real portuguesa e escoltá-la até o Brasil. A segunda, caso a primeira não acontecesse, era bombardear Lisboa.

Obviamente, era um jogo de cartas marcadas. Nenhum dos lados tinha qualquer ilusão sobre como essa história ia terminar. Convencidos de que Portugal se alinharia à Inglaterra, os governos da França e da Espanha já haviam dividido entre si o território português. Pelo tratado de Fontainebleau, assinado pelos dois aliados em 27 de outubro de 1807,

A FUGA

"Se Portugal não fizer o que quero, a Casa de Bragança não reinará mais na Europa."
(Napoleão ameaçando D. João)

Portugal seria retalhado em três partes. A região norte, formada pelas províncias de Entre-Douro e Minho, e batizada, pelo tratado, de Lusitânia Setentrional, caberia à rainha regente da Etrúria, Maria Luiza de Bourbon, da dinastia espanhola. Alentejo e Algarve, na região sul, passariam para D. Manoel de Godoy, o mais poderoso ministro espanhol, também chamado de Príncipe da Paz. À França caberia a parte central, a mais rica do país, formada por Beira, Trás-os-Montes e Estremadura.

Portugal foi invadido por 50 mil soldados franceses e espanhóis. Se quisesse, D. João poderia ter resistido, com boas chances de vencer. Os soldados enviados por Napoleão eram, em sua maioria, novatos ou pertencentes a legiões estrangeiras que não tinham nenhum interesse em defender as ambições do imperador francês. Devido à falta de planejamento e à pressa com que a invasão foi decidida, ao chegar à fronteira de Portugal, estavam reduzidos a uma legião maltrapilha e faminta. Dos 25 mil soldados que deixaram a França, 700 já tinham morrido sem entrar em combate. Um quarto da infantaria tinha desaparecido porque, no desespero para encontrar comida, os soldados haviam se afastado da coluna principal e se perdido. Ao chegar às portas de Lisboa, os franceses estavam tão fracos que não conseguiam se manter de pé. Muitos obrigavam os portugueses a carregar suas armas.

"Não há exemplo na história de um reino conquistado em tão poucos dias, e sem grande resistência, como Portugal em 1807", escreveu Sir Charles Oman, professor da Universidade de Oxford e autor do livro *The Peninsular War*, a mais importante obra sobre a campanha de Napoleão na Península Ibérica. "É surpreendente que uma nação, habituada desde os tempos mais remotos a se defender repetidas vezes com sucesso de inimigos muito mais fortes, desta vez tivesse se rendido sem disparar um único tiro. Foi um testemunho não apenas da fraqueza do governo português, mas também do poder que o nome de Napoleão inspirava nessa época."

Marquês de Pombal

Embarque da família real

~~ UM IMPÉRIO DECADENTE E INDEFESO ~~

Em 1807, três séculos depois de ter inaugurado a Era das Grandes Navegações e Descobertas, Portugal nem de longe lembrava a nação vibrante dos tempos de Vasco da Gama e Pedro Álvares Cabral, cantada em *Os Lusíadas*, de Camões.

Os sinais de decadência estavam por todo lado. Lisboa, a capital do império, havia muito tinha sido ultrapassada por suas vizinhas europeias como centro irradiador de ideias – o que se pensava de novo, o que se realizava, criava e inventava na Europa não saía mais de Portugal. Os tempos de glória haviam ficado para trás.

O que tinha acontecido com Portugal? Havia duas explicações.

A primeira era demográfica e econômica. Com uma população relativamente pequena, de 3 milhões de habitantes, Portugal não tinha gente nem recursos para proteger, manter e desenvolver seu imenso império colonial. Dependia de escravos em quantidades cada vez maiores para explorar suas minas de ouro e diamante, e suas lavouras de cana-de-açúcar, algodão, café e tabaco.

Toda a economia de Portugal baseava-se no que conseguia tirar de suas colônias. E isso numa época em que a Inglaterra entrava na era das grandes fábricas – a Revolução Industrial, que começava a redefinir as relações econômicas e o futuro das nações.

*Afonso Henriques de Borgonha,
primeiro rei de Portugal*

Preso ao sistema extrativista e mercantilista, fundamentando sua economia na exploração pura e simples das colônias, sem investir em infraestrutura, educação ou melhoria de qualquer espécie, Portugal perdeu o momento de fazer sua revolução industrial. Na terra exaltada por Camões, no século XVI, por sua coragem e ímpeto empreendedor, a manufatura não se desenvolveu. Tudo era comprado de fora. Na prática, se o Brasil era colônia de Portugal, Portugal era colônia da Inglaterra e de outras potências europeias.

Faltava dinheiro – capital – em Portugal. Embora os navios continuassem a chegar de todas as partes do mundo, a metrópole portuguesa era uma terra relativamente pobre porque a riqueza não parava ali. Lisboa funcionava apenas como um entreposto comercial – um intermediário de menor importância. Ou seja, de lá, o ouro, a madeira e os produtos agrícolas do Brasil seguiam direto para a Inglaterra. Os diamantes tinham como destino Amsterdã e Antuérpia, nos Países Baixos. E, no final das contas, eram esses países que realmente lucravam com as riquezas trazidas à Europa por Portugal, que ia cada vez mais se afundando em dívidas.

Até porque não era fácil arcar com os custos da multidão de nobres e outros personagens que a Coroa sustentava – e que trouxe em sua grande parte para o Brasil. Com algumas exceções, quem era rico em Portugal não havia ganhado sua posição com investimentos, negócios, nem produção. A riqueza em Portugal era resultado do dinheiro fácil, como os ganhos de herança, cassinos e loterias. Muitas pessoas importantes, nobres e outros dignitários, viviam de mesada da Coroa.

Além disso, grande soberano dos mares dois séculos antes, Portugal já não tinha condições de se defender sozinho. Sua outrora poderosa Marinha de Guerra estava reduzida a trinta navios, dos quais seis ou sete eram imprestáveis – uma frota insignificante, comparada à da Marinha britânica, que, nessa época, dominava os oceanos com 880 navios de combate.

A segunda explicação para a decadência era política e religiosa. De todas as nações da Europa, Portugal continuava sendo, no começo do século XIX, a mais católica, a mais conservadora e a mais avessa às ideias libertárias que produziam revoluções e transformações em outros países. A força da Igreja era enorme. Por três séculos, a Igreja havia mantido submissos o povo, seus nobres e reis. Por escrúpulos religiosos, a Ciência e a

Medicina eram atrasadas ou praticamente desconhecidas. D. José, herdeiro do Trono e irmão mais velho do príncipe regente, D. João, havia morrido de varíola porque sua mãe, D. Maria I, tinha proibido os médicos de lhe aplicarem vacina. A rainha – que posteriormente enlouqueceria – achava que a decisão entre a vida e a morte estava nas mãos de Deus.

A vida social era regulada por missas, procissões e outras cerimônias religiosas. O comportamento individual e coletivo era determinado e vigiado pela Igreja Católica. Portugal foi o último país europeu a abolir os autos da Inquisição, nos quais pessoas que ousassem criticar ou se opor à doutrina da Igreja eram julgadas e condenadas à morte na fogueira.

SURTO DE MODERNIDADE

Em 1755, uma catástrofe natural agravou a decadência econômica e ajudou a reduzir ainda mais a autoestima portuguesa. Na manhã de 1º de novembro, Dia de Todos os Santos, um terremoto devastador atingiu Lisboa, matando entre 15 mil e 20 mil pessoas. Igrejas, casas, palácios reais, mercados, edifícios públicos e teatros – tudo foi reduzido a pó e cinzas. Só 3 mil das 20 mil casas continuaram habitáveis.

Curiosamente, a tragédia resultou no único surto de modernidade em terras portuguesas, depois da Era das Descobertas. Foi no governo de Sebastião José de Carvalho e Melo, o Marquês de Pombal, ministro todo-poderoso do rei D. José I desde julho de 1750. Pombal recebeu a missão de reconstruir Lisboa. Sobre as ruínas do terremoto, seu governo redesenhou a cidade, com passeios e avenidas largas, praças, chafarizes e prédios novos.

Além de reconstruir a capital, Pombal acabou por reformar o próprio império. Subjugou a nobreza e reduziu drasticamente o poder da Igreja. Foi o responsável pela expulsão dos jesuítas de Portugal e de suas colônias. Também reorganizou o ensino, até então controlado pela Igreja.

Em 1777, com a morte de D. José, sua filha D. Maria I, a primeira mulher a ocupar o Trono na história de Portugal, traria de volta ao poder a parte mais conservadora, piedosa e atrasada da nobreza. O Marquês caiu no ostracismo – foi afastado da corte.

Com a queda de Pombal e de seu espírito reformador, Portugal se via novamente prisioneiro de seu próprio destino: o de um país pequeno, rural e atrasado, incapaz de romper com os vícios e tradições que o prendiam ao passado, dependente de mão de obra escrava, intoxicado pela riqueza fácil e sem futuro da produção extrativista de suas colônias.

Além disso, estava reduzido à condição de peça menor no grande tabuleiro de interesses das potências europeias. Constantemente ameaçado pelos vizinhos Espanha e França, Portugal provavelmente teria deixado de existir não fosse a aliança histórica com a Inglaterra.

Foram os cruzados ingleses que, em 1147, a caminho da Terra Santa, ajudaram o jovem Afonso Henriques de Borgonha, o primeiro rei de Portugal, a expulsar os mouros e conquistar o porto situado nas proximidades da foz do Rio Tejo, onde hoje fica a cidade de Lisboa. Era uma parceria de benefícios mútuos, da qual a Inglaterra também se valeu em momentos de necessidade. Foi com a ajuda de Portugal que os ingleses conquistaram da Espanha, em 1704, o rochedo de Gibraltar, cuja posição estratégica, na entrada do Mediterrâneo, seria decisiva em todos os grandes conflitos em que o país havia se envolvido nos últimos três séculos.

Foi a essa antiga aliança que o príncipe regente D. João recorreu em 1807, quando, uma vez mais, o futuro do pequeno e frágil Portugal se viu ameaçado pelas tropas de Napoleão Bonaparte.

A PARTIDA

O dia 29 de novembro de 1807 amanheceu ensolarado em Lisboa. Uma brisa leve soprava do leste. Apesar do céu azul, as ruas ainda estavam tomadas pelo lamaçal, devido à chuva do dia anterior.

Nas imediações do porto, havia confusão por todo lado. Um espetáculo inédito na história de Portugal se desenrolava sobre as águas calmas do Rio Tejo: a rainha, seus príncipes, princesas e toda a nobreza abandonavam o

Ingleses conquistam o rochedo de Gibraltar

país para ir viver do outro lado do
mundo. Incrédulo, o povo se aglomerava na beira do cais para assistir à partida.

    Às 7 horas da manhã, a nau *Príncipe Real* inflou as velas e deslizou em direção ao Atlântico. Levava a bordo o príncipe regente, D. João, sua mãe, a rainha louca D. Maria I, e os dois herdeiros do Trono, os príncipes D. Pedro e D. Miguel. O restante da família real estava distribuído em outros três navios. O *Alfonso de Albuquerque* transportava a princesa Carlota Joaquina, mulher do príncipe regente, e quatro das suas seis filhas. As duas filhas do meio – Maria Francisca e Isabel Maria – viajavam no *Rainha de Portugal*. A tia e a cunhada de D. João seguiam no *Príncipe do Brasil*. Mais quatro dezenas de barcos seguiam atrás da esquadra real.

Era uma cena impressionante, mas nem de longe lembrava os tempos heroicos, quando a esquadra de Vasco da Gama partiu do mesmo cais, singrando as águas do mesmo rio para navegar mares desconhecidos e descobrir terras distantes. Em 1807, o espírito de aventura dera lugar ao medo. A elite portuguesa fugia sem ao menos pensar em resistir aos invasores franceses.

Entre 10 mil e 15 mil pessoas acompanharam o príncipe regente na viagem ao Brasil. Era muita gente, levando-se em conta que a capital

"Lisboa acordou em estado de tristeza sombria, difícil de descrever."

Lisboa tinha cerca de 200 mil habitantes. O grupo incluía pessoas da nobreza, conselheiros reais e militares, juízes, advogados, comerciantes e suas famílias. Também viajavam médicos, bispos, padres, damas de companhia, camareiros, pajens, cozinheiros e cavalariços.

No começo do século XIX, viagens marítimas eram uma aventura arriscada. Exigiam preparação cuidadosa e demorada. De Lisboa ao Rio de Janeiro levava-se dois meses e meio, ao sabor de tempestades, calmarias e ataques de surpresa dos corsários que infestavam o Atlântico. As doenças, os naufrágios e a pirataria cobravam um alto preço dos poucos passageiros que se arriscavam a ir tão longe. Os perigos eram tantos que a Marinha britânica, então a mais experiente, organizada e bem equipada força naval do mundo, considerava aceitável a média de uma morte para cada trinta tripulantes nas viagens de longo percurso.

Todos esses riscos eram bem conhecidos em Portugal desde os tempos gloriosos dos descobrimentos. Só que, em 1807, ninguém teve tempo para preparar e organizar coisa alguma. O plano de fuga para o Brasil era antigo, mas a viagem foi decidida às pressas e executada de maneira improvisada.

"VÃO PENSAR QUE ESTAMOS FUGINDO"

A partida estava marcada para a tarde de 27 de novembro. Houve pouco tempo para os preparativos. Ventos contrários e chuva forte, porém, acabaram adiando a saída para a manhã do dia 29. Ainda assim, a correria e a improvisação foram inevitáveis.

Até porque não se admitia deixar nada de valor para trás.

Os palácios reais de Mafra e Queluz foram esvaziados às pressas. Camareiras e pajens vararam noites trabalhando sem parar na retirada de tapetes, quadros e ornamentos das paredes. Centenas de arcas e baús contendo roupas, louças, faqueiros, joias e objetos pessoais eram despachadas para as docas. No total, a caravana tinha mais de 700 carroças. A prata das igrejas e os 60 mil volumes da Biblioteca Real foram embalados e acomodados em catorze carros puxados por mulas. Em caixotes, o ouro, os diamantes e o dinheiro do tesouro real foram enviados para o cais, sob escolta.

A carruagem da princesa Carlota Joaquina chegou ao porto pouco depois do príncipe regente. Em carruagens separadas, veio o restante da

Desolação e tristeza após a partida do rei

família. Em seguida, apareceu a rainha D. Maria I, de 73 anos. Para o povo português aglomerado no cais para assistir à partida, a presença da rainha era uma grande novidade. Devido aos seus acessos de loucura, fazia dezesseis anos que D. Maria I vivia reclusa no Palácio de Queluz.

Sem a menor noção do que acontecia, enquanto seu coche se aproximava do porto em disparada, ela teria gritado ao cocheiro: "Mais devagar. Vão pensar que estamos fugindo!" Ao chegar ao cais, ela teria se recusado a descer da carruagem – era a única ali a não querer abandonar seu país. O capitão da frota real acabou carregando-a no colo até o navio.

Durante três dias, o povo de Lisboa observou o movimento de cavalos, carruagens e funcionários do governo nas imediações do porto, sem entender o que se passava. A explicação oficial era que a frota portuguesa estava sendo reparada. Os mais ricos e bem informados, no entanto, sabiam perfeitamente o que estava acontecendo.

Quando, finalmente, a notícia da partida se espalhou, o povo ficou indignado. Nas ruas, havia choro, demonstrações de desespero e revolta. "A capital encontrava-se num estado de tristeza tão sombria que era terrível em excesso para ser descrito", relatou Lord Strangford, o enviado britânico a Lisboa, encarregado de negociar a transferência da família real para o Brasil.

Em meio à confusão, um menino nobre de apenas 5 anos assistia a tudo com espanto. Era José Trazimundo, futuro Marquês da Fronteira. Estava em companhia do tio, o Conde de Ega, que, à última hora, tentou embarcar a família num dos navios da frota portuguesa, mas não conseguiu atravessar a multidão. Ao chegar ao cais, os navios já haviam zarpado. Anos depois, Trazimundo registraria suas lembranças daquele dia: "Nunca me esquecerei das lágrimas que vi derramar, tanto ao povo como aos criados da Casa Real, e aos soldados que estavam no largo de Belém". Sem poder juntar-se à debandada, a família de Trazimundo se refugiou na casa do Conde da Ribeira, à espera da chegada das tropas francesas.

Naquelas circunstâncias, fazer um discurso de despedida era impossível. Por isso, D. João mandou afixar nas ruas de Lisboa um decreto no qual explicava as razões da partida. Dizia que as tropas francesas estavam a caminho de Lisboa e que resistir a elas seria derramar sangue inutilmente. Acrescentava que, apesar de todos os esforços, não tinha conseguido preservar a paz para os seus amados súditos. Por essa razão, estava se mudando para o Rio de Janeiro até que a situação se acalmasse. Também deixou por escrito instruções para que os portugueses cooperassem com os invasores.

SAQUE REAL

Antes de embarcar, D. João teve o cuidado de raspar os cofres do governo – providência que repetiria treze anos mais tarde ao deixar o Rio de Janeiro na viagem de volta a Lisboa.

Em 1807, o tesouro real embarcado somava cerca de 80 milhões de cruzados. Representavam metade das moedas em circulação em Portugal, além de uma grande quantidade de diamantes extraídos em Minas Gerais que, inesperadamente, retornavam ao Brasil.

A bagagem real incluía ainda todos os arquivos da monarquia portuguesa. Uma nova impressora, que tinha sido recentemente comprada em Londres, também foi embarcada na nau *Medusa*, como chegara da Inglaterra, sem sair da caixa.

Era muita ironia... Para evitar a propagação de ideias consideradas revolucionárias na colônia, o governo português havia proibido expressamente a existência de impressoras no Brasil. Inclusive, para fugir da censura, o *Correio Braziliense*, primeiro jornal brasileiro, criado pelo jornalista Hipólito José da Costa, em 1808, era impresso e distribuído em Londres. Agora, a própria Coroa trazia ao Brasil sua primeira impressora.

Depois de soprar forte do mar para o continente durante dois dias, na manhã de 29 de novembro o vento mudou de direção. A chuva parou e o sol apareceu. Às 7 horas foi dada a ordem de partida.

Lord Strangford, então, recolheu-se a bordo da nau *Hibernia*, de onde escreveu a seguinte mensagem para Lord Canning, o primeiro-ministro britânico: "Tenho a honra de comunicar que o príncipe regente de Portugal decidiu-se pelo nobre e magnânimo plano de retirar-se de um reino em que não mais pode manter-se, a não ser como vassalo da França; e que Sua Alteza Real e a família, acompanhados pela maior parte dos navios de guerra e por multidão de fiéis defensores e súditos solidários, partiu hoje de Lisboa, estando agora em viagem para o Brasil sob a guarda da armada inglesa".

Por volta das 3 horas da tarde, o menino José Trazimundo estava jantando em companhia do pai e dos irmãos quando ouviu disparos distantes de canhões. Era a esquadra inglesa do almirante Sidney Smith saudando, com uma salva de 21 tiros, o pavilhão real da nau que conduzia o príncipe regente. D. João, naquele exato momento, deixava a barra do Rio Tejo para entrar no Oceano Atlântico. Os navios portugueses ainda estavam à vista no horizonte quando as tropas francesas começaram a entrar em Lisboa.

Naquela manhã luminosa de novembro de 1807, espalhadas pelo cais do porto de Lisboa, ficaram centenas de bagagens, esquecidas no tumulto da partida. Entre elas, estavam os caixotes com a prataria das igrejas e os livros da Biblioteca Real. A prata seria confiscada e derretida pelos invasores franceses. Os livros só chegariam ao Brasil três anos depois.

Abandonado à própria sorte, Portugal viveria os piores anos de sua história. Nos meses que se seguiram, contrariando o exemplo da família real, milhares de portugueses pegariam em armas para resistir à invasão francesa. Nos sete anos seguintes, mais de meio milhão de portugueses fugiria do país, pereceria de fome ou tombaria nos campos de batalha numa sequência de confrontos que se tornaria conhecida como a Guerra Peninsular.

José Trazimundo

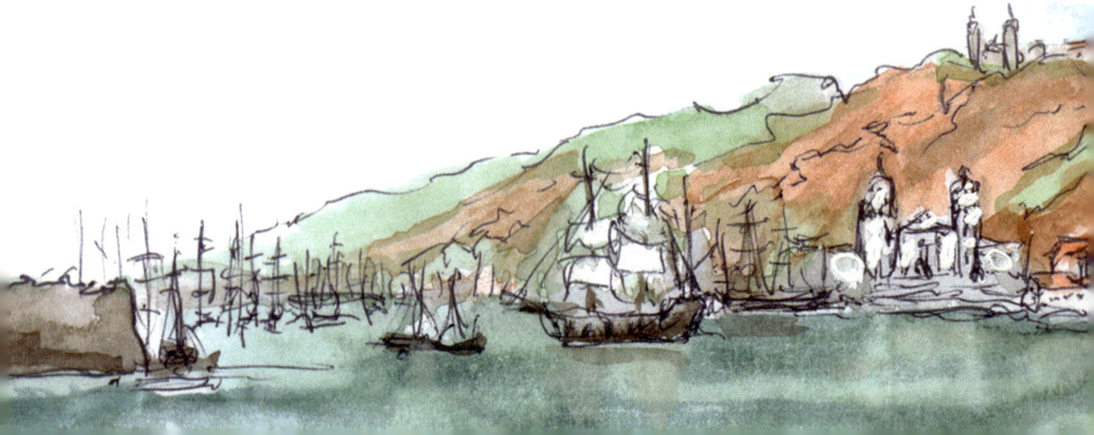

2

AFLIGIDA POR TEMPESTADES E INFESTAÇÕES DE
PIOLHOS, A CORTE ATRAVESSA O OCEANO.
A CHEGADA AO BRASIL, UM LUGAR AINDA SELVAGEM,
IGNORANTE E POUCO HABITADO.

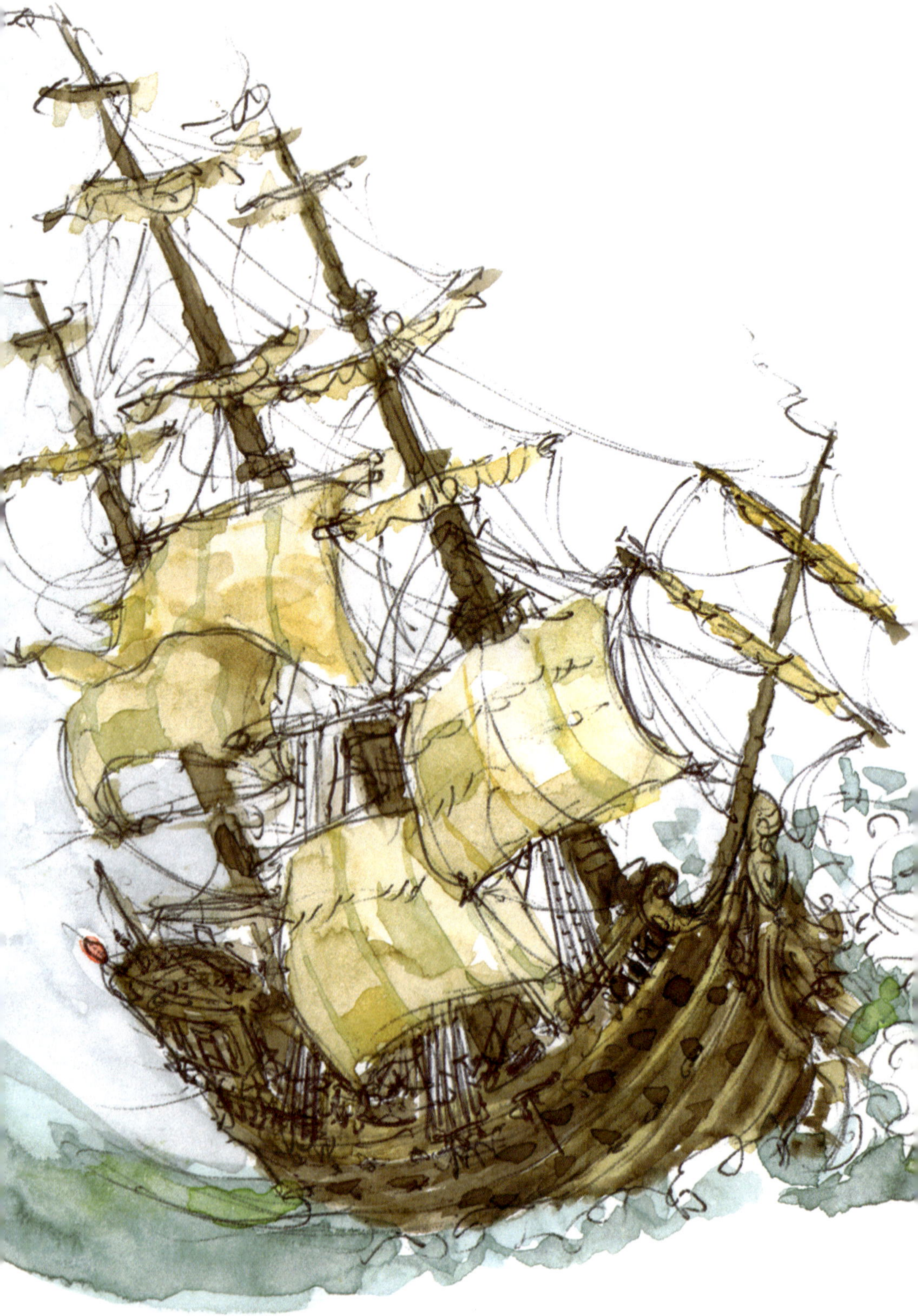

A VIAGEM

A viagem não foi exatamente um cruzeiro de luxo.
A esquadra portuguesa levou quase dois meses para atravessar o Oceano Atlântico. Os relatos sobre a viagem são incompletos e confusos, mas sabe-se que foi uma aventura cheia de aflições e sofrimentos. Antigas e mal equipadas, as naus e fragatas portuguesas viajavam apinhadas de gente e bagagens. Eram navios de guerra ou de comércio, para grandes navegações e descobertas que não aconteciam mais. Não para transporte em massa de passageiros – uma modalidade de navegação que ainda não existia, assim como seria impensável que um dia fossem ser usados para levar toda a corte e agregados de mudança para o Brasil.

Os navios portugueses haviam sido desenhados como se fossem cápsulas de madeira lacradas, para impedir a infiltração da água do mar e sobreviver às violentas tempestades oceânicas. Providos de pequenas escotilhas, que permaneciam fechadas a maior parte do tempo, os ambientes internos ficavam asfixiantes, sem qualquer ventilação.

Não havia água corrente nem banheiros. Para as necessidades fisiológicas, usavam-se as cloacas, plataformas presas à proa, suspensas sobre a amurada dos navios, por onde os dejetos eram lançados ao mar.

A dieta de bordo era composta de biscoitos, lentilha, azeite, repolho azedo e

Navio infestado de piolhos

carne salgada de porco ou bacalhau – ou seja, alimentos que resistiam mais tempo, sem estragar. No calor sufocante das zonas tropicais, ratos, baratas e carunchos infestavam os depósitos de mantimentos. A água apodrecia, contaminada por bactérias e fungos. Por falta de frutas e alimentos frescos, uma das maiores ameaças nas longas travessias era o escorbuto, doença fatal provocada pela deficiência de vitamina C. Enfraquecida, a vítima queimava de febre e sofria dores insuportáveis. A gengiva necrosava. Os dentes caíam ao simples toque. Nas regiões tropicais, outras ameaças eram a desinteria e o tifo, causadas pela falta de higiene e pela contaminação da água e dos alimentos.

Na nau capitânia *Príncipe Real*, que levava D. João e a rainha Maria I, iam 1 054 pessoas. Pode-se imaginar a situação. Com 67 metros de comprimento, 16,5 metros de largura, três conveses para as baterias de tiro dos seus 84 canhões e um porão de carga, o navio não tinha espaço para tanta gente. Enfim, os passageiros e tripulantes se arrumavam como podiam e muitos dormiam ao relento, amontoados, no tombadilho.

Nos primeiros dias de viagem, enquanto ainda estavam no hemisfério norte, ondas fortes despejavam água gelada sobre o convés superlotado, onde os marinheiros trabalhavam em meio ao nevoeiro e às rajadas de vento frio. Muita água penetrava nos cascos, por causa dos inúmeros vazamentos. Velas e cordas apodreciam. O madeirame gemia sob o impacto das ondas e do vento, espalhando o pânico entre os passageiros, que não estavam habituados às durezas das travessias oceânicas.

O enjoo era coletivo. A corte portuguesa não parava de vomitar por sobre as amuradas dos navios.

Depois de algumas semanas, já na altura da linha do Equador, o frio do inverno europeu deu lugar a um calor que, para aqueles europeus palacianos, era insuportável. Isso era agravado pela ausência de ventos – as *calmarias*, muito famosas naquelas regiões do Atlântico.

Claro que o excesso de passageiros e a falta de higiene favoreceram a proliferação de pragas. No navio em que viajava a princesa Carlota Joaquina, uma infestação de piolhos obrigou as mulheres a rasparem os cabelos e a lançarem suas perucas ao mar. As cabeças carecas foram untadas com banha de porco e pulverizadas com pó antisséptico.

Parecia não faltar mais nada para atormentar os nobres portugueses.

MAR REVOLTO

Mas, faltava...

Logo no início da viagem, passageiros e tripulantes foram surpreendidos por uma abrupta mudança climática. O vento, que até então impelia os navios para o oceano, inverteu a direção e começou a soprar forte de través, ou seja, no sentido perpendicular das embarcações e contrário ao rumo planejado.

Ora, imagine um tempo em que os navios não dispunham de motores para impulsioná-los. Eram movidos a velas, ou seja, pela força do vento, que inflava suas velas. Ou ainda – dependiam exclusivamente dos caprichos do vento.

À noite, a ventania adversa já tinha a força de uma tempestade. Em alguns momentos, ameaçava empurrar toda a frota de volta para a costa portuguesa, já ocupada pelas tropas francesas.

Alarme geral entre os nobres portugueses! Eles já se viam retornando para os braços do revoltado povo de Lisboa e dos soldados de Napoleão. Muitos devem ter sentido a cabeça ameaçada...

Foi então que alguém teve uma boa ideia.

Os comandantes decidiram aproveitar a força da ventania e navegar na direção noroeste, como se estivessem indo para o Canadá. Isso manteria os navios em alto-mar, evitando o desastre de serem atirados de volta à costa de Portugal.

Só no quarto dia, quando já haviam percorrido mais de 160 milhas náuticas, ou cerca de 300 quilômetros, eles puderam, finalmente, corrigir as velas e rumar para sudoeste, na direção do Brasil.

No dia 8 de dezembro, ao se aproximarem do Arquipélago da Madeira, um denso nevoeiro cobriu tudo. Ao anoitecer, uma violenta tempestade castigou os navios. Ventos fortíssimos surravam as velas apodrecidas, enquanto os marinheiros tentavam desesperadamente mantê-las presas aos mastros. Na manhã seguinte, uma parte dos navios havia desaparecido.

A esquadra tinha sido dispersada pelos ventos durante a noite, sem que os marinheiros percebessem. A tempestade continuou por dois dias.

Quase alcançando a linha do Equador, os navios da esquadra real que se dirigiam a Salvador entraram numa zona de calmaria. Por falta

*D. João decide fazer
escala na Bahia*

de ventos, as naus de D. João e Carlota Joaquina levaram dez dias para percorrer somente trinta léguas, distância que, em situação normal, seria vencida em dez horas.

Pobres deles! Centenas de passageiros apinhando o convés dos navios. Dez dias em alto-mar sob o sol equatorial, onde as temperaturas em dezembro chegam a 35 graus centígrados. E sem o sopro de uma mísera brisa. Ainda por cima, com a água de bordo estragada.

No dia 22 de janeiro, após 54 dias de mar e aproximadamente 6 400 quilômetros percorridos, D. João aportou em Salvador. O restante do comboio tinha chegado ao Rio de Janeiro uma semana antes, no dia 17 de janeiro.

A mesma Bahia que trezentos anos antes tinha assistido à chegada da esquadra de Cabral, agora testemunhava um acontecimento que haveria de mudar para sempre, e de forma profunda, a vida dos brasileiros. Com a chegada da corte à Baía de Todos os Santos, começava o último ato do Brasil colônia e o primeiro do Brasil independente.

ESCALA BAIANA: PLANEJADA OU ACIDENTAL?

A escala de D. João em Salvador, em 1808, é um episódio ainda mal contado na história da mudança da família real portuguesa para o Brasil.

Pelo plano original da viagem, traçado em Lisboa no dia da partida, toda a esquadra navegaria sempre na direção sudoeste, rumo ao Rio de Janeiro. Em caso de imprevisto, o ponto de reencontro combinado era a Ilha de Santiago, no Arquipélago de Cabo Verde, parte do império

A família real chega a Salvador

colonial português, na costa da África. Ali, os navios eventualmente avariados poderiam ser consertados e reabastecidos, para depois seguir a rota previamente combinada.

Só que D. João mudou esses planos de forma repentina logo na terceira semana de viagem. Para que fazer uma escala imprevista em Salvador, correndo riscos desnecessários, quando seria mais fácil e prudente manter o plano original e navegar direto para o Rio de Janeiro?

Até recentemente, a hipótese mais aceita nos livros de História jogava a culpa na tempestade que dispersou a esquadra, entre os dias 8 e 10 de dezembro, na altura do Arquipélago da Madeira. Em meio à tormenta, os navios teriam se perdido uns dos outros. Uma parte do comboio, incluindo as naus em que viajavam a rainha D. Maria I, o príncipe regente D. João e a princesa Carlota Joaquina, teria ficado à deriva e seguido na direção noroeste, enquanto o restante da frota continuou na rota original, primeiro rumo a Cabo Verde e, depois, ao Rio de Janeiro.

Ao descobrir que estava nas imediações do litoral baiano, D. João teria ordenado que os navios atracassem em Salvador. Por essa explicação, teria aportado na Bahia quase por acaso.

Mas essa versão começou a ser afastada graças às descobertas do historiador Kenneth Light. Pesquisador meticuloso, Light mergulhou nos arquivos da Marinha britânica, onde estão guardados os diários de bordo de todos os seus navios, além das cartas e dos relatórios que os respectivos comandantes enviavam para a sede do almirantado, em Londres, ao final da jornada. Da análise desses documentos, ele concluiu que D. João não foi parar na Bahia forçado por acidentes meteorológicos, mas porque essa era mesmo a sua intenção.

Segundo a pesquisa de Light, em 21 de dezembro de 1807, o príncipe regente comunicou ao capitão James Walker, comandante do *Bedford*, que havia decidido parar em Salvador, sem cumprir a rota planejada. Isso aconteceu onze dias depois da tempestade. Nessa mesma ocasião, a fragata *Minerva* foi despachada para Santiago, em Cabo Verde, onde encontrou os demais navios e comunicou a mudança de planos de D. João. É mais uma prova de que os comandantes portugueses e ingleses não estavam perdidos, de que sabiam por onde andavam os seus navios e o restante da frota.

Se a escala baiana não foi acidental, que razões teriam levado D. João a Salvador? É que, do ponto de vista estratégico, a escala na Bahia era muito oportuna.

Duzentos anos atrás, a unidade política e administrativa da colônia brasileira era bastante precária. D. João precisava, mais do que nunca, de um Brasil unido em torno da Coroa portuguesa. O sucesso dos seus planos em 1808 dependia do apoio financeiro e político de todas as províncias. Primeira capital da colônia, Salvador tinha perdido essa condição em 1763. Mas ainda era um centro importante do comércio e das decisões da colônia. Seus moradores se ressentiam profundamente da mudança da capital para o Rio de Janeiro.

Uma visita a Salvador, portanto, seria bastante oportuna.

Era uma maneira inteligente de assegurar a fidelidade dos baianos e das províncias do Norte e do Nordeste num momento de grande dificuldade. Foi também em Salvador que D. João anunciou a mais importante de todas as medidas que tomaria nos seus treze anos de Brasil: a abertura dos portos. Além disso, mais tarde, já no Rio de Janeiro, nomeou como governador da Bahia ninguém menos que o Conde dos Arcos, até então vice-rei do Brasil. Era mais uma demonstração do quanto a Bahia era importante no tabuleiro político que a monarquia estava montando na sua fase americana. A manobra política funcionou: os baianos, agradecidos, deram seu apoio ao príncipe regente.

Essa nova hipótese, de que a escala baiana foi planejada, muda sensivelmente as interpretações feitas até hoje sobre a vinda da corte para o Brasil, a começar pela imagem do próprio príncipe regente. Restam poucas dúvidas de que D. João foi

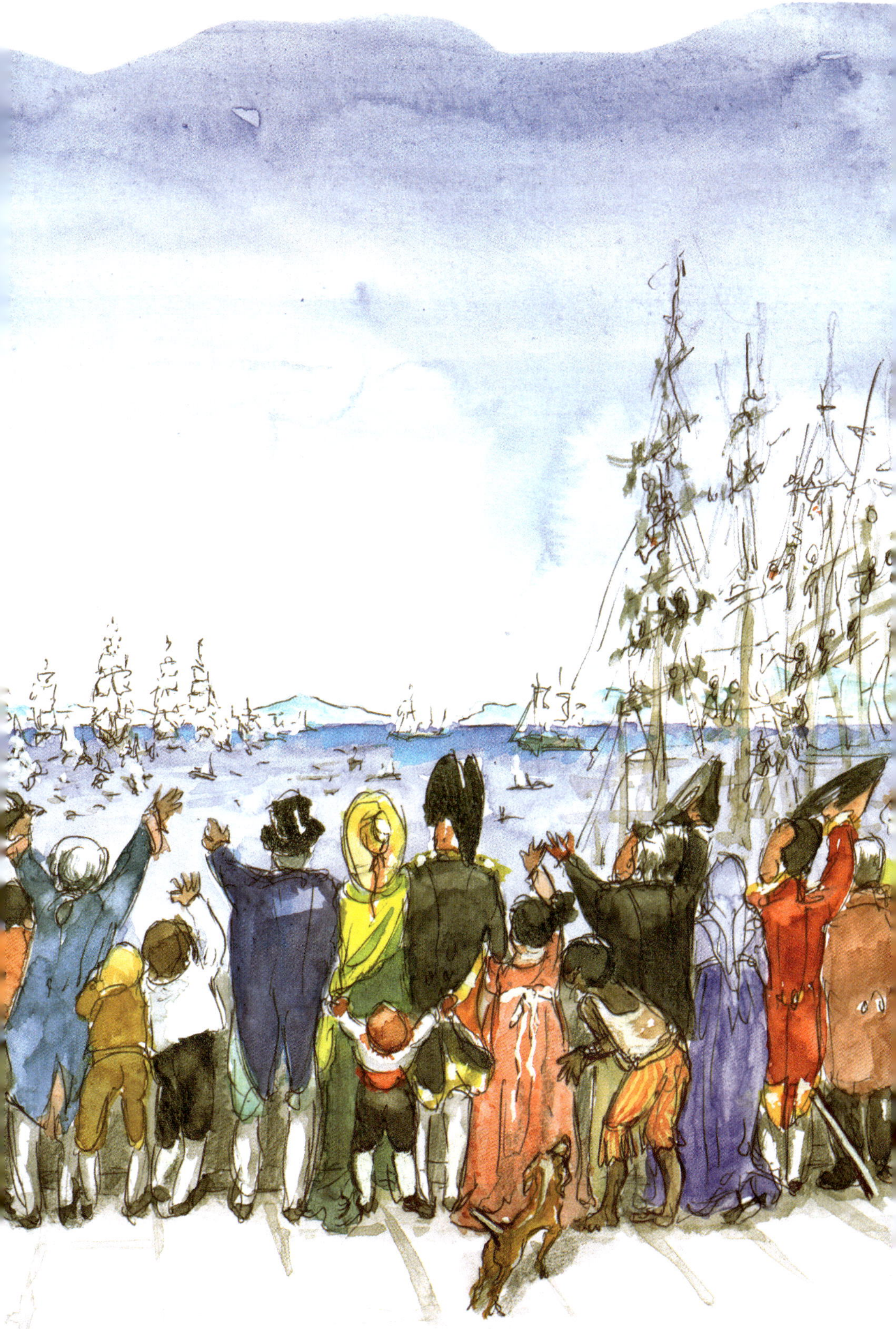

medroso e indeciso em Portugal, preferindo fugir a enfrentar as tropas francesas que invadiam seu país. No entanto, como veremos, ao chegar ao Brasil, suas providências, a começar por essa hábil escala na Bahia, ganham caráter, tornam-se mais resolutas e perspicazes.

☙ TERRA À VISTA ☙

O primeiro contato de D. João com seus súditos da colônia brasileira aconteceu na forma de uma pequena epopeia marítima.

Quando teve notícia da viagem da família real, o governador de Pernambuco, Caetano Pinto de Mendonça Montenegro, despachou para o mar o bergantim *Três Corações* – um barco com dois mastros de vela que, na ausência de ventos, por causa do seu pequeno tamanho, podia também ser impulsionado a remo. Com uma carga de caju, pitanga, outras frutas e refrescos, tinha a missão de tentar localizar a nau de D. João na altura em que se calculava estar a esquadra portuguesa.

O mais surpreendente é que, navegando às cegas, três dias depois de deixar o porto do Recife, o bergantim conseguiu, efetivamente, encontrar os navios portugueses, no que pode ser considerado

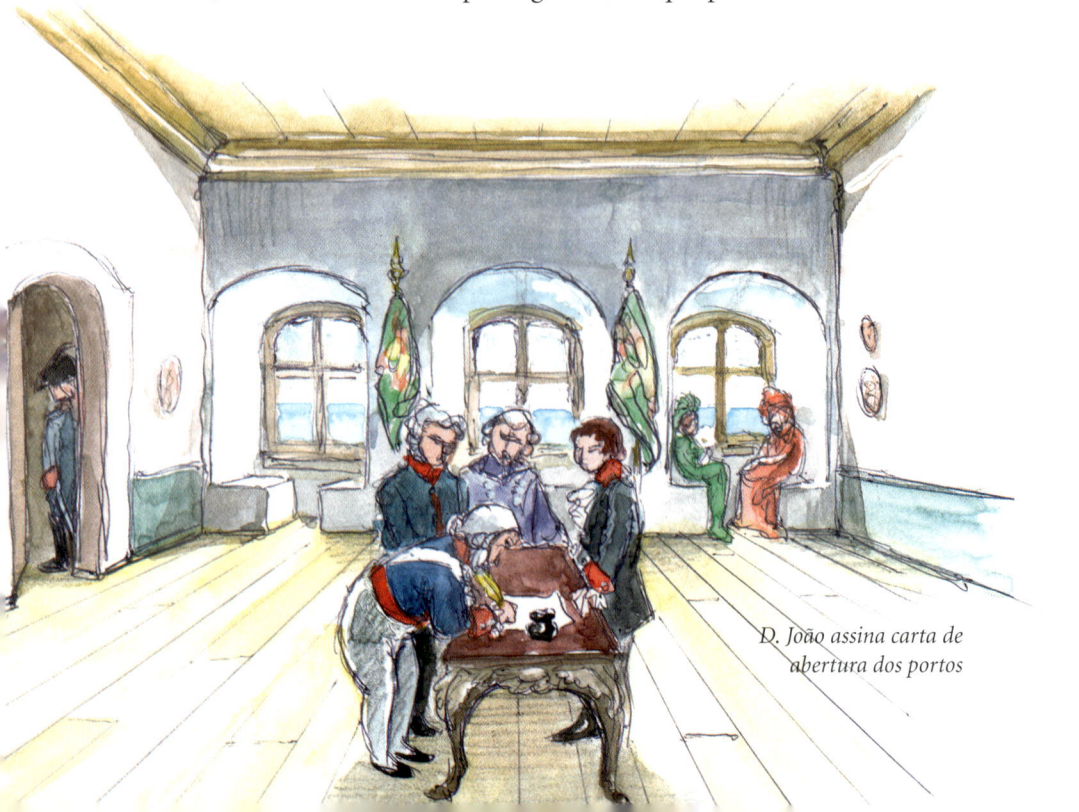

D. João assina carta de abertura dos portos

um dos feitos mais extraordinários da viagem da família real ao Brasil. Imagine um pequeno barco, com menos de dez metros de comprimento, numa época em que não havia comunicação por rádio, GPS ou telefone celular por satélite, encontrar uma nau portuguesa em alto-mar sem ter informações precisas sobre sua localização.

Para os passageiros e tripulantes da esquadra de D. João, foi um alívio e tanto. Depois de quase dois meses no oceano, submetidos a uma dieta de carne salgada, biscoito seco, vinho avinagrado e água podre, finalmente puderam provar refrescos e alimentos saudáveis. Eram espécies tropicais, de aspecto, consistência e sabor como jamais tinham experimentado em Portugal. E foi assim, por meio dos frutos de sua pródiga e exuberante natureza, que o Brasil se apresentou a D. João e sua corte de refugiados de guerra.

Mas a incerteza logo voltou. Na chegada a Salvador, às 11 horas de 22 de janeiro de 1808, os navios ancoraram dentro da barra, perto do ponto em que hoje estão situados o Mercado Modelo e o Elevador Lacerda. O estranho é que ninguém apareceu para recebê-los.

Era como se a Bahia simplesmente não tivesse se dado conta da chegada da família real. Para os passageiros e tripulantes, foi uma grande surpresa. As notícias da viagem já haviam chegado ao Brasil havia quase duas semanas, trazidas por fontes diferentes.

Nessa época, o litoral brasileiro dispunha de uma precária rede de comunicações baseada nos fortes, vilas e faróis costeiros, usada para transmitir informações urgentes e muito importantes. Era parte do sistema de defesa da colônia, o que permitia aos governadores e capitães-gerais das diversas províncias alertar seus vizinhos sobre ataques de piratas, tentativas de invasões, rebeliões ou qualquer outra ameaça aos territórios dominados pelos portugueses. O problema é que, por esse modo de comunicação boca a boca, as informações viajavam lentamente. Por isso, embora as autoridades de Salvador já soubessem que a corte estava a caminho do Brasil, a cidade jamais teria tido tempo de preparar uma grande recepção.

D. João desembarcou na manhã do dia 23. Ao contrário do dia anterior, desta vez a multidão congestionava o cais da Ribeira. Salvas de canhões disparadas das fortalezas e gritos de saudação aos ilustres visitantes se misturavam ao badalar dos sinos das inúmeras igrejas da capital baiana.

Ao chegar em terra firme, a família real seguiu de carruagens pela Rua da Preguiça e pela Ladeira da Gameleira, até o Largo do Teatro (atual Praça Castro Alves). Ali, D. João e comitiva foram recebidos pelos representantes da Câmara Municipal, que os convidaram a seguir até a Igreja da Sé, onde o arcebispo celebrou um *Te Deum Laudamus*, em agradecimento pelo sucesso da travessia do oceano.

À noite, a comitiva real se recolheu ao Paço do Governo. Seguiu-se uma semana de música, dança, espetáculos de luz pelas ruas da cidade e longas cerimônias de beija-mão, nas quais o príncipe regente recebia, pacientemente, filas intermináveis de súditos.

SALVADOR

Com suas igrejas faiscantes de ouro e entalhes barrocos, casinhas brancas espalhadas pela encosta e os imponentes solares que se destacam no alto dos morros, Salvador era uma das mais bonitas cidades do império colonial português. Vista à distância, na entrada da Baía de Todos os Santos, era um deslumbre para os visitantes estrangeiros que chegavam.

Apesar do porto tão movimentado, e de sua importância econômica e política, Salvador era uma cidade relativamente pequena – tinha apenas 46 mil habitantes. Sua localização, sobre um terreno muito elevado correndo para baixo até o mar, seguia à risca a estratégia militar adotada pelos portugueses para a defesa do império. As igrejas, conventos, edifícios públicos e residências das famílias mais abastadas ficavam na cidade alta. Na cidade baixa, na faixa rente ao mar, situava-se o quarteirão comercial, com armazéns, lojas, oficinas e o cais do porto. A ligação entre as duas partes era feita por ruas, ladeiras e becos estreitos, que tornavam o trânsito sobre rodas impossível. Por isso, um grande molinete era usado para içar mercadorias pesadas.

Um século e meio mais tarde, esse sistema de tração mecânico e precário seria substituído pelo Elevador Lacerda, movido a eletricidade, que hoje é um dos cartões-postais da capital baiana.

Além do molinete, o transporte de mercadorias era realizado por escravos e animais de carga, que subiam e desciam as ladeiras em longas e demoradas filas. Visitantes e moradores ilustres eram, igualmente, carregados morro acima por escravos em liteiras e cadeirinhas suspensas por varões transversais.

O deslumbramento da paisagem, porém, se convertia em decepção quando o visitante entrava na cidade. A inglesa Maria Graham, que esteve na Bahia em 1821, achou tudo muito sujo e decadente. "A rua pela qual entramos através do portão do arsenal é, sem dúvida nenhuma, o lugar mais sujo em que eu jamais estive", contou. Essa impressão se acentuava ao entrar nas casas: "Na maior parte, são repugnantemente sujas", registrou Maria Graham.

TEMPORADA DE FESTAS, PASSEIOS E DECISÕES

D. João passou um mês na Bahia. Foram dias de incontáveis festas, celebrações, passeios e decisões importantes, que haveriam de mudar os destinos do Brasil. Ele e a mãe, a rainha Maria I, ficaram hospedados no palácio do governador. A princesa Carlota Joaquina não se juntou aos festejos. Depois da chegada, permaneceu mais cinco dias a bordo da nau *Alfonso de Albuquerque*. Em seguida, hospedou-se no Palácio da Justiça, situado no centro da cidade.

No dia 28 de janeiro, apenas uma semana depois de aportar em Salvador, D. João foi ao Senado da Câmara assinar seu mais famoso ato em território brasileiro: a carta régia de abertura dos portos ao comércio de todas as nações amigas. A partir dessa data, estava autorizada a importação "de todos e quaisquer gêneros, fazendas e mercadorias transportadas em navios estrangeiros das potências que se conservam em paz e harmonia com a Real Coroa".

A abertura dos portos era uma medida inevitável. Com Portugal e o porto de Lisboa ocupados pelos franceses, o comércio do reino estava virtualmente paralisado. Abrir os portos do Brasil era, portanto, uma decisão óbvia. Além disso, a liberação do comércio internacional na colônia era uma dívida que D. João tinha com a Inglaterra – que agora poderia fazer comércio direto com o Brasil. O acordo previa não só a abertura dos portos, mas também a autorização para a instalação de uma base naval britânica na Ilha da Madeira.

Forçado a abrir mão do seu monopólio, mais uma vez, Portugal saía perdendo. Foi o preço que pagou pela proteção contra Napoleão, devidamente negociado em Londres em outubro de 1807 pelo embaixador português D. Domingos de Sousa Coutinho.

Ainda em Salvador, D. João aprovou a criação da primeira escola de Medicina do Brasil e os estatutos da primeira companhia de seguros, batizada Boa Fé. Também deu licença para a construção de uma fábrica de vidro e outra de pólvora, autorizou o governador a estabelecer a cultura e a moagem do trigo, mandou abrir estradas e encomendou um plano de defesa e fortificação da Bahia, que incluía a construção de 25 barcas canhoneiras e a criação de dois esquadrões de cavalaria e um de artilharia. Todas essas e muitas outras atividades produtivas eram proibidas na colônia até então.

Além dessas importantes decisões, a temporada baiana de D. João foi de dias amenos, com passeios e celebrações

Roupas da época

"A população indígena era estimada em 800 mil pessoas."

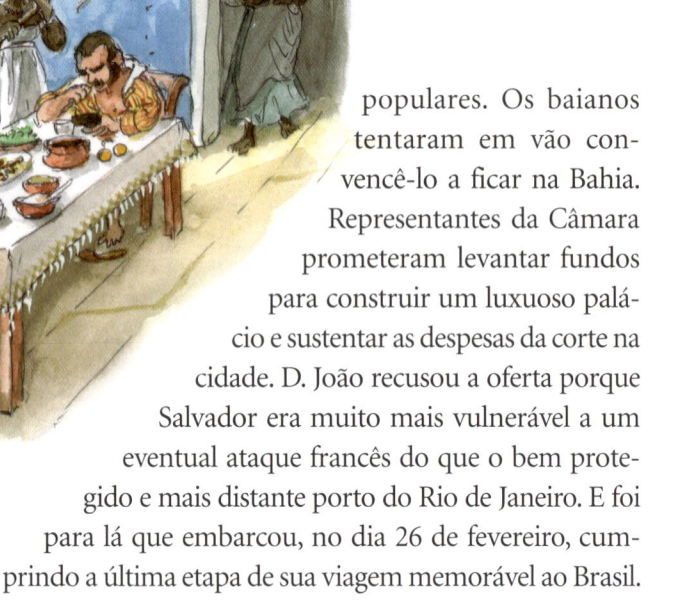

Vida doméstica

populares. Os baianos tentaram em vão convencê-lo a ficar na Bahia. Representantes da Câmara prometeram levantar fundos para construir um luxuoso palácio e sustentar as despesas da corte na cidade. D. João recusou a oferta porque Salvador era muito mais vulnerável a um eventual ataque francês do que o bem protegido e mais distante porto do Rio de Janeiro. E foi para lá que embarcou, no dia 26 de fevereiro, cumprindo a última etapa de sua viagem memorável ao Brasil.

A COLÔNIA

Duzentos anos atrás, o Brasil não existia. Pelo menos, não como é hoje: um país integrado, de fronteiras bem definidas e habitantes que se identificam como brasileiros, torcem pela mesma seleção de futebol, usam documentos de identidade reconhecidos no país inteiro, viajam para fazer turismo ou trabalhar em cidades e Estados vizinhos, frequentam escolas de currículo unificado, compram e vendem entre si produtos e serviços.

Às vésperas da chegada da corte ao Rio de Janeiro, o Brasil era um amontoado de regiões mais ou menos sem contato, isoladas umas das outras, sem comércio nem qualquer outra forma de relacionamento. Tinham como únicos pontos de referência em comum o idioma português e o governo da Coroa, sediado em Lisboa, do outro lado do Atlântico.

O mapa do Brasil de 1808 já era muito semelhante ao atual. Não havia ainda o Estado do Acre, que seria comprado à Bolívia em 1903. Além disso, durante o governo de D. João VI, haveria uma breve mudança na fronteira ao sul. A província Cisplatina seria anexada ao Brasil em 1817, mas declararia sua independência onze anos mais tarde e se tornaria o atual Uruguai. O Tratado de Madri, de 1750, tinha revogado o antigo Tratado de Tordesilhas e redesenhado as fronteiras das colônias portuguesa e espanhola com base no conceito de ocupação efetiva do território. Ocupar o território era, portanto, uma forma de garantir que toda aquela terra continuaria sendo um único país.

"Em 1808, de cada três brasileiros um era escravo."

historiador Oliveira Lima. A autorização para fazer cirurgia e clinicar era dada mediante um exame perante o juiz comissário, ele próprio um ignorante da ciência da medicina. Os candidatos eram admitidos nessa prova se comprovassem um mínimo de quatro anos de prática numa farmácia ou hospital. Ou seja, primeiro se praticava a medicina e depois se obtinha a autorização para exercê-la.

ISOLAMENTO E IGNORÂNCIA

Devido à precariedade das comunicações com o interior da colônia, a notícia da morte do rei D. José I, em 1777, levou três meses e meio para chegar a São Paulo. A ignorância e o isolamento faziam parte de uma política deliberada do governo português, que tinha como objetivo manter o Brasil sem vontade própria, longe dos olhos e da cobiça dos estrangeiros, voltado apenas para o fornecimento de produtos para Portugal.

O Rio Grande do Sul produzia trigo e gado, usado na fabricação de charque, mantas de couro, sebo e chifre. Suas fazendas eram gigantescas. Em 1808, o Porto do Rio Grande, com 500 casas e 2 mil habitantes, recebia 150 navios por ano, o triplo da vizinha Montevidéu. Exportava essas mercadorias para todo o resto do país e também para Portugal, África e os domínios portugueses nas Índias.

Com cerca de 3 mil habitantes, a Ilha de Santa Catarina, onde hoje está situada a cidade de Florianópolis, já naquela época encantava os viajantes pela beleza e pela organização.

São Paulo, hoje a maior metrópole da América Latina, era um pequeno vilarejo com pouco mais de 20 mil habitantes, incluindo os escravos. Entroncamento das várias rotas de comércio, entre o litoral e o interior e entre o sul e o restante do país, podia ser considerada também a mais indígena e brasileira de todas as grandes cidades coloniais, segundo o jornalista Roberto Pompeu de Toledo.

O coração econômico da colônia pulsava no triângulo formado por São Paulo, Rio de Janeiro e Minas Gerais. Era para essa região que o eixo do desenvolvimento tinha se deslocado no começo do século XVIII, depois do fim do ciclo da cana-de-açúcar no Nordeste e da descoberta do ouro e do diamante em Minas Gerais.

Em 1808, havia pouco dinheiro circulando no Brasil. Sob o domínio português, a colônia vivia basicamente de escambo – um

O encontro de dois mundos

Cenas do cotidiano

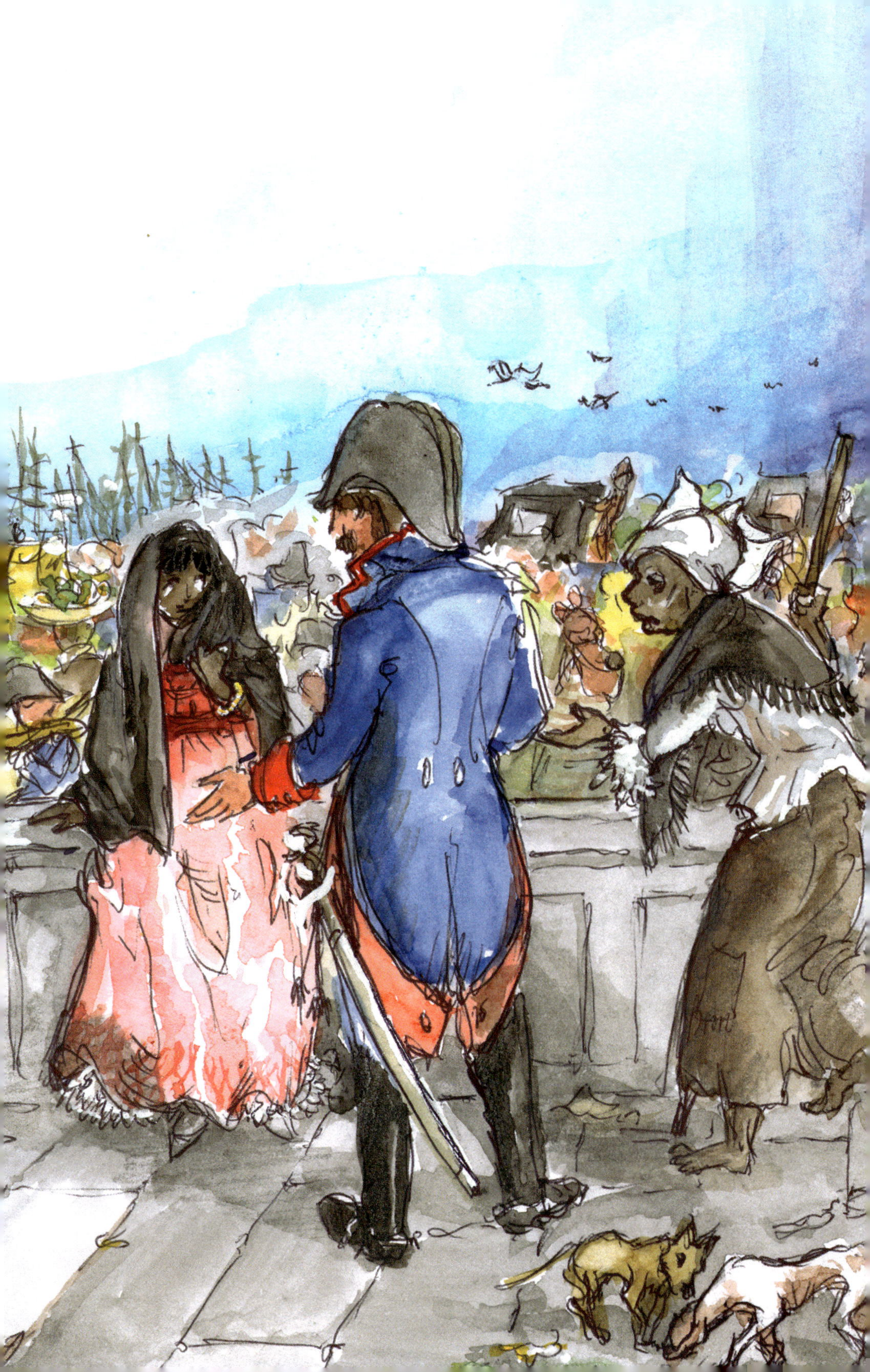

produto era trocado por outro. Isso restringia muito as oportunidades que os novos comerciantes tentavam explorar no país recém-aberto ao comércio internacional.

Graças ao ouro e ao diamante que brotavam da terra, a população das cidades mineiras explodiu no século XVIII. No auge de sua prosperidade, Vila Rica chegou a ser a maior cidade do Brasil, com 100 mil habitantes. Tijuco, atual Diamantina, tinha 40 mil pessoas na época de Xica da Silva, a famosa escrava que conquistou o coração de um rico português ligado ao garimpo de diamantes.

Era essa riqueza que sustentava Portugal. Mas o tempo das vacas gordas já estava terminando...

Quando a corte aportou no Brasil, o ciclo do ouro ia chegando ao fim. E deixava para trás regiões inteiras de terra devastada pelo garimpo e pela atividade mineradora, imprestáveis para o cultivo e para a pecuária. "Por todos os lados, tínhamos sob os olhos os vestígios aflitivos das lavagens, vastas extensões de terra revolvida e montes de cascalho", descreveu o botânico Auguste de Saint-Hilaire ao percorrer o interior de Minas Gerais.

O controle sobre a mineração era rigoroso. Pelas leis do governo português, o ouro extraído nas minas e aluviões devia ser entregue às casas de fundição autorizadas de cada distrito. O ouro ali virava barras, já descontada a porcentagem da Coroa.

O contrabando dominava boa parte do comércio da colônia. Metais e pedras preciosas escoavam pelo Rio do Prata, em direção a Buenos Aires. De lá, seguiam para a Europa, sem pagar impostos a Lisboa.

CENSURA E REPRESSÃO

Apesar da política de isolamento e controle por parte do governo português, a colônia ainda era mais dinâmica e criativa do que a decadente e estagnada metrópole.

Entre 1772 e 1800, um total de 527 brasileiros se formou em Coimbra, então a mais respeitada universidade do império português. A existência dessa pequena elite intelectual representava uma proeza numa colônia em que tudo se proibia e censurava.

Livros e jornais eram impedidos de circular livremente. Quem ousasse expressar opiniões em público contrárias ao pensamento

Conde dos Arcos

"As casas requisitadas para uso da nobreza eram marcadas com PR, de Príncipe Regente. A população interpretou como 'Ponha-se na Rua'."

vigente na corte portuguesa corria o risco de ser preso, processado e, eventualmente, deportado.

Na América portuguesa de 1808, as tensões políticas eram agravadas por um fator adicional: a escravidão. Fazia mais de 200 anos que o tráfico incessante de negros africanos sustentava a prosperidade da economia colonial. Os escravos eram a força que cultivava as lavouras de algodão, fumo e cana-de-açúcar, e também a que extraía ouro e prata das minas. Os brancos eram minoria. Os cativos, somados aos negros libertos, mulatos e mestiços – seus naturais aliados entre os pobres que viviam à margem da sociedade colonial – formavam mais de dois terços da população da colônia.

Tratava-se de uma situação insustentável e potencialmente explosiva. O pavor das rebeliões de escravos tirava o sono das famílias brancas, abastadas e bem-educadas.

E não se tratava apenas de fantasias...

Em 1794, uma rebelião de negros havia resultado num banho de sangue nas Antilhas Francesas, onde hoje é o Haiti. Poderia isso se repetir no Brasil? Claro que sim.

Na chamada Revolta dos Alfaiates, ocorrida em Salvador em meados de 1798, os revoltosos afixaram manifestos manuscritos nos lugares públicos da cidade exigindo "o fim do detestável jugo metropolitano de Portugal", a abolição da escravatura e a igualdade para todos os cidadãos, "especialmente mulatos e negros". A repressão do governo português foi imediata e duríssima. Quarenta e sete suspeitos foram presos, dos quais nove eram escravos. Quatro deles – todos mulatos livres – acabaram sendo decapitados e esquartejados.

Em lugar da ameaça e da coerção, no entanto, o D. João que chegou ao Brasil em 1808 usaria para governar um outro atributo fortíssimo da monarquia: o da imagem do rei benigno, que tudo provê, que cuida de todos e a todos protege. D. João passaria à história como um monarca bonachão, sossegado e paternal, que todas as noites recebia pacientemente seus súditos no Palácio de São Cristóvão para o ritual do beija-mão. Nessas oportunidades, mesmo as pessoas mais humildes – incluindo índios e escravos – tinham direito de lhe fazer súplicas e prestar sua homenagem ao soberano.

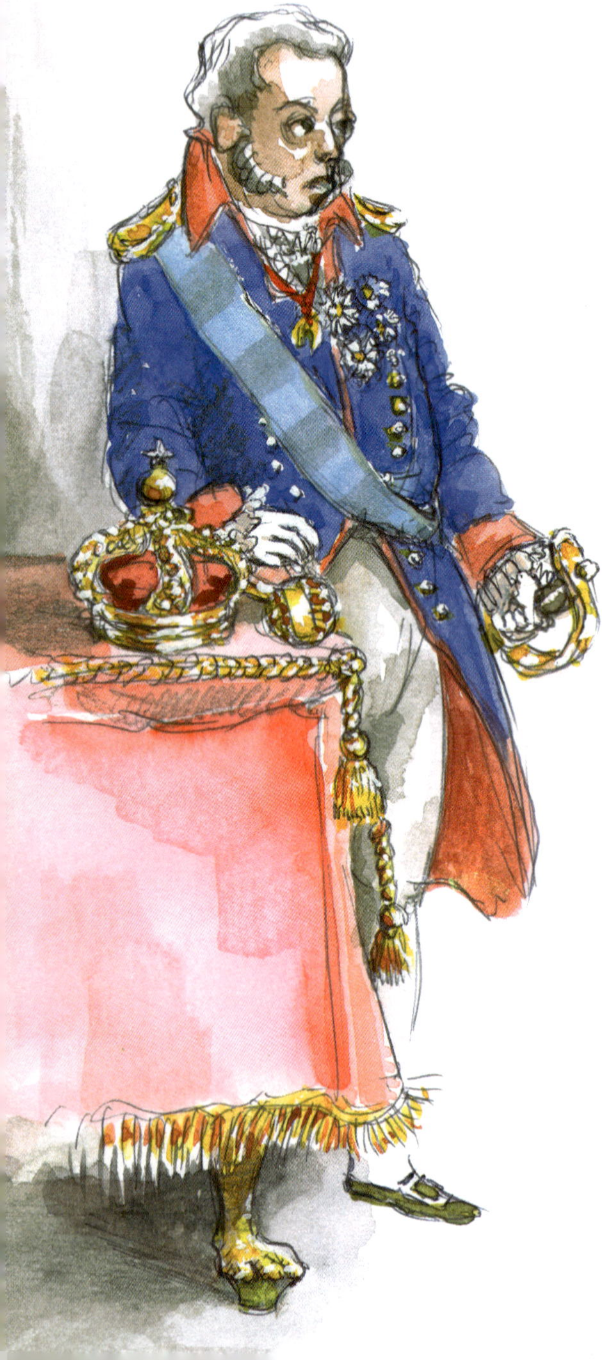

3

D. JOÃO, UM REI QUE TINHA MEDO
DE TROVÕES E CARANGUEJOS, DESEMBARCA
NO RIO DE JANEIRO. O ENCONTRO DE DOIS MUNDOS
ATÉ ENTÃO ESTRANHOS E DISTANTES.

A esquadra de D. João e da família real portuguesa entrou na Baía da Guanabara no começo da tarde de 7 de março de 1808. Havia sol e o céu estava azul, sem uma única nuvem. Um vento forte soprava do oceano para aliviar o calor ainda sufocante do final do verão carioca.

Depois de três meses e uma semana de viagem, contando a escala em Salvador, centenas de nobres e ilustres passageiros se comprimiam na amurada dos navios para contemplar o espetáculo que se abria diante dos seus olhos: uma cidadezinha de casas brancas, alinhadas rente à praia, debruçava-se às margens de uma baía de águas calmas emoldurada por altíssimas montanhas de granito cobertas pela floresta luxuriante, de tonalidade verde-escura, como nunca se tinha visto em Portugal.

O desembarque só aconteceu no dia seguinte, 8 de março, por volta das quatro da tarde. Para os brasileiros coloniais, que aguardavam em terra, foi inevitável um certo ar de decepção ao ver aquela corte foragida e castigada pela precariedade da longa travessia. Bem diferente do belo príncipe retratado nos quadros oficiais, o D. João era "um homem muito gordo, muito fatigado, muito simples, de suíças castanhas escorridas ao longo da face vermelha, de passo moroso em virtude da erisipela hereditária, e uma velha casaca condecorada de nódoas", segundo o relato do historiador Pedro Calmon. Ao lado do

O local do desembarque, no Rio de Janeiro

príncipe, que "marchava dificilmente", estava sua mulher, Carlota Joaquina. "Magra, ossuda, os olhos inquietos, a boca cerrada, os lábios finos, o queixo comprido, voluntarioso e duro, não ocultava a contrariedade de ver-se em terra de gentes que haveria de sempre detestar", segundo o historiador Tobias Monteiro.

O ENCONTRO DE DOIS MUNDOS

A chegada da corte ao Rio de Janeiro foi o encontro de dois mundos, até então estranhos e distantes. De um lado, uma monarquia europeia, envergando casacas de veludo, sapatos afivelados, meias de seda, perucas e galardões, roupas pesadas e escuras e isso debaixo do nosso mais do que conhecido sol tropical.

E chegando por aqui em março, bem a tempo de pegar o calor do verão carioca.

Do outro lado, estava uma cidade colonial e quase africana, com dois terços da população formada por negros, mestiços e mulatos semidespidos e descalços.

Além desses, o Rio de Janeiro era repleto de aventureiros: traficantes de escravos, tropeiros, negociantes de ouro e diamantes, marinheiros e mercadores das Índias.

"A limpeza da cidade estava confiada aos urubus."

Nos primeiros dias, D. João, Carlota Joaquina e os filhos ficaram hospedados no Paço Real, a residência reformada pelo vice-rei Conde dos Arcos. Foi um arranjo temporário. Dentro de pouco tempo, o príncipe regente iria morar num palácio muito mais amplo e agradável, situado no atual bairro de São Cristóvão. Sua mulher, a princesa Carlota Joaquina, iria se instalar numa chácara na praia de Botafogo. A rainha Maria I ficaria no convento dos carmelitas. A Igreja do Carmo foi transformada em Capela Real.

Para tentar resolver o problema de falta de habitação provocado pela chegada dos milhares de acompanhantes da corte, por ordem do Conde dos Arcos, criou-se o famigerado sistema de *aposentadorias* – a expressão aqui quer dizer providenciar aposentos ou moradia –, pelo qual as casas eram confiscadas de seus donos e entregues à nobreza recém-chegada. Os endereços escolhidos eram marcados na porta com as letras PR, iniciais de Príncipe Regente, que imediatamente a população começou a interpretar como *Ponha-se na Rua*.

A arrogância e a prepotência dos que chegavam de além-mar resultaram em vários casos de abuso no sistema de aposentadorias.

A colônia brasileira ganharia muito com a vinda de D. João, a começar pela sua independência. Mas os problemas e o custo dos primeiros anos da família real no Rio de Janeiro foram enormes. Era preciso alimentar e pagar as despesas de uma corte que não trabalhava nem produzia coisa alguma, que vivia de subornos e propinas, que era acostumada ao luxo pelo qual não pagava do seu bolso, e que gastava muito acima do que tinha e podia, sempre na certeza de que o rei lhe daria mais e mais.

Para sustentar o rei e seus nobres, recorreu-se, primeiramente, a listas de subscrição voluntária – donativos para cobrir as despesas da Coroa –, que os ricos e poderosos da colônia assinaram de muito boa vontade, porque tinham a certeza de obter em troca rápidas e generosas vantagens. A segunda foi o aumento indiscriminado de taxas e impostos, que o povo todo pagou sem conseguir ver que benefícios teria com isso. Era evidente que uma situação como essa, cedo ou tarde, iria explodir.

da Marinha britânica James Tuckey. "A boa impressão, contudo, desvanece à medida que nos aproximamos. Logo que se metem os pés para dentro, constata-se que a limpeza não passa de um efeito da cal que reveste as paredes exteriores e que, nos interiores, habitam a sujeira e a preguiça. As ruas, apesar de retas e regulares, são sujas e estreitas, ao ponto de o balcão de uma casa quase se encontrar com o da casa em frente."

"A limpeza da cidade estava toda confiada aos urubus", escreveu o historiador Oliveira Lima. Alexander Caldcleugh, um estrangeiro que viajou pelo Brasil entre 1819 e 1821, ficou impressionado com o número de ratos que infestavam a cidade e seus arredores. "Muitas das melhores casas estão de tal forma repletas deles que durante um jantar não é incomum vê-los passeando pela sala", afirmou.

Devido à pouca profundidade do lençol freático – as reservas de água potável –, era proibido construir fossas sanitárias. A urina e as fezes dos moradores, recolhidas durante a noite, eram transportadas de manhã para serem despejadas no mar por escravos que carregavam grandes tonéis de esgoto nas costas. Durante o percurso, parte do conteúdo desses tonéis, repleto de amônia e ureia, caía sobre a pele e, com o passar do tempo, deixava listras brancas sobre suas costas negras. Por isso, esses escravos eram conhecidos como *tigres*. Devido à falta de um sistema de coleta de esgotos, os *tigres* continuaram em atividade no Rio de Janeiro até 1860 e no Recife até 1882.

Os hábitos dos moradores não melhoravam em nada a situação. Sob o calor úmido dos trópicos, imperavam a preguiça e a falta de elegância no modo de se vestir e se comportar. O inglês John Luccock faz um retrato divertido dos hábitos dos cariocas. Segundo ele, a família geralmente passava o tempo nos aposentos da parte de trás das casas. As mulheres, sentadas em roda, costuravam,

Negros, mulatos e mestiços despertavam a curiosidade dos visitantes

"O Rio de Janeiro
era uma cidade
movimentada e barulhenta."

faziam meias, rendas, bordados e outros trabalhos manuais. Era também ali que todos se reuniam para fazer as refeições, usando como mesa uma tábua colocada sobre um cavalete no meio da sala.

Convidado para um desses jantares na casa de uma família rica, Luccock surpreendeu-se ao descobrir que cada pessoa deveria comparecer com a própria faca, "em geral larga, pontiaguda e com cabo de prata". À mesa, observou que "os dedos são usados com tanta frequência quanto o próprio garfo". Mais do que isso, era comum uma pessoa se servir do prato do vizinho com as mãos.

O pintor Jean Baptiste Debret, que chegou ao Brasil com a missão artística francesa de 1816, também ficou escandalizado com a falta de boas maneiras dos ricos durante as refeições: "O dono da casa come com os cotovelos fincados na mesa; a mulher, com o prato sobre os joelhos, sentada na sua marquesa, à moda asiática; e as crianças, deitadas ou de cócoras nas esteiras, lambuzam-se à vontade com a pasta de comida nas mãos".

A carne fresca era uma raridade. Vinha de longe, de até mil quilômetros de distância. Viajando por estradas precárias, em boiadas que desciam de Minas Gerais ou do Vale do Paraíba. Muitos bois morriam pelo caminho, de fome ou de cansaço. Mesmo assim, a população do Rio de Janeiro tinha uma dieta rica e variada. Comiam muitas frutas – banana, laranja, maracujá, abacaxi, goiaba –, peixes, aves, verduras e legumes. As farinhas de mandioca e de milho eram um alimento universalmente usado na colônia. Com a carne seca e o feijão, este era o tripé básico da alimentação brasileira.

"*Escravos vendem serviços na rua e repassam dinheiro aos seus donos.*"

CANHÕES E ESCRAVOS

Em 1808, o Rio de Janeiro tinha apenas 75 logradouros públicos. Durante a semana, era uma cidade movimentada e barulhenta, com ruas repletas de muares, carroças ruidosas puxadas por quatro bois para levar materiais de construção. Quem vinha de fora, estranhava os incessantes disparos dos canhões dos navios e das inúmeras fortalezas que protegiam a cidade. "Em homenagem ao rei, cada navio que entrava no porto disparava 21 tiros, respondidos pelos fortes da barra – costume que não se conhecia em nenhum outro lugar do mundo", diz o historiador Jurandir Malerba.

Em 1808, entraram no porto do Rio de Janeiro 855 navios, o que dava uma média de quase três por dia. Se cada um disparasse 21 tiros, recebendo das fortalezas igual número em resposta, ao anoitecer os cariocas teriam ouvido nada menos que 126 disparos de canhão.

Outra coisa que despertava a curiosidade dos visitantes – brancos e europeus – era o número de negros, mulatos e mestiços nas ruas. Não estavam acostumados a ver pessoas de cor na sua terra natal. Ainda mais que os escravos dominavam a paisagem nos feriados e fins de semana. Usando roupas coloridas, enfeites e turbantes ou, no caso dos homens, despidos da cintura para cima, reuniam-se no Campo de Santana, nos subúrbios da cidade, onde, em grandes círculos, cantavam e dançavam batendo palmas.

Durante a semana, realizavam todo tipo de trabalho manual. Entre outras atividades, eram barbeiros, sapateiros, moleques de recado, fazedores de cestas, e vendedores de capim, refrescos, doces, pão de ló, angu e café. Também carregavam gente e mercadorias. Pela manhã, centenas deles iam buscar água no chafariz do aqueduto da Carioca, que era transportada em barris semelhantes aos usados para levar os excrementos até as praias no final da tarde.

No Brasil, desenvolveu-se uma forma de escravidão conhecida como *sistema de ganho*. Eram aqueles escravos que, após fazerem o trabalho na casa de seus donos, iam para as ruas em busca de atividade suplementar. Os escravos de ganho faziam de tudo: iam às compras, buscavam água, removiam o lixo, levavam e traziam recados e serviam de acompanhantes para as mulheres quando elas iam à igreja. No final do dia, repassavam parte do dinheiro aos seus donos. A quantia era previamente estabelecida. O escravo que a ultrapassasse podia ficar com a diferença. Quem não alcançasse a meta, era punido. Havia escravos que, no sistema de ganho, acabavam acumulando dinheiro suficiente para comprar sua liberdade.

Quando a corte portuguesa chegou ao Brasil, navios negreiros vindos da costa da África despejavam no Mercado do Valongo, no Rio de Janeiro, entre 18 mil e 22 mil homens, mulheres e crianças por ano. Entre os séculos XVI e XIX, cerca de 10 milhões de escravos africanos foram vendidos para as Américas. O Brasil, maior importador do continente, recebeu quase 40% desse total, algo entre 3,6 milhões e 4 milhões de cativos, segundo estimativas aceitas pela maioria dos pesquisadores. O historiador Manolo Florentino Garcia estima que 850 mil escravos desembarcaram no porto do Rio de Janeiro no século XVIII, o equivalente à metade de todos os negros cativos trazidos para o Brasil nesse período.

O calor, associado à falta de higiene, gerava problemas de saúde colossais. Em 1798, dez anos antes da chegada da corte, a Câmara do Rio de Janeiro havia proposto a um grupo de médicos um programa para combater as epidemias e erradicar as moléstias endêmicas da cidade. Apoiados no parecer dos médicos, os vereadores levantaram a suspeita de o foco gerador de algumas dessas doenças epidêmicas – em especial a sarna, erisipela, bexiga (varíola) e tuberculose – serem negros recém-chegados da África. Sugeriram que o mercado de escravos fosse transferido da atual Praça 15 de Novembro para a região do Valongo, onde estava na época da chegada de D. João ao Brasil.

Barbeiro

Barbeiro-dentista

Barbeiro-cirurgião

D. João tinha medo de trovão

~∽ **BARBA, BIGODE E BISTURI** ∾~

Mais difícil do que diagnosticar a causa das doenças era combatê-la. Como em toda a colônia, não havia no Rio de Janeiro médicos formados em universidades. Uma forma rudimentar de medicina era praticada pelos barbeiros. Thomas O'Neill, tenente da Marinha britânica, ficou intrigado com o número de barbearias e os serviços que prestavam: "As barbearias são aqui bastante singulares. O símbolo dessas lojas é uma bacia, e o profissional que aí trabalha acumula três profissões: dentista, cirurgião e barbeiro".

O pesquisador carioca Nireu Cavalcanti encontrou no Arquivo Nacional documentos que ajudam a dar uma noção do que era a saúde e a medicina no Rio de Janeiro na época de D. João VI. São inventários *post-mortem* de dois médicos, que relacionam os bens deixados pelos falecidos. Um deles, do cirurgião-mor Antônio José Pinto, inclui esta assustadora relação de *instrumentos cirúrgicos*: um serrote grande, um serrote pequeno, uma chave de dentes, duas facas retas, duas tenazes, uma unha de águia, dois torniquetes, uma chave inglesa e uma tesoura grande.

A chegada da família real produziu uma revolução no Rio de Janeiro. O saneamento, a saúde, a arquitetura, a cultura, as artes, os costumes, tudo mudou para melhor – pelo menos para a elite branca que frequentava a vida na corte. Entre 1808 e 1822, a área da cidade triplicou com a criação de novos bairros e freguesias. A população cresceu 30% nesse período, mas o número de escravos triplicou, de 12 mil para 36 182.

O tráfego de animais e carruagens ficou tão intenso que foi preciso criar leis e regulamentos para discipliná-lo. A Rua Direita (hoje 1º de Março) tornou-se, a partir de 1824, a primeira da cidade a ter numeração e trânsito organizado pelo sistema de mão e contramão.

Na algibeira, levava frango assado na manteiga

~~ D. JOÃO E SUAS MANIAS ~~

Príncipe regente e, depois de 1816, rei do Brasil e de Portugal, D. João tinha medo de siris, caranguejos e trovoadas.

Durante as frequentes tempestades tropicais do Rio de Janeiro, refugiava-se em seus aposentos na companhia do roupeiro predileto, Matias Antônio Lobato. Ali, com uma vela acesa, ambos faziam orações a Santa Bárbara e São Jerônimo até que cessassem os trovões.

Certa vez, foi picado por um carrapato na Fazenda de Santa Cruz, onde passava o verão. O ferimento inflamou e causou febre. Os médicos recomendaram-lhe banho de mar. Como temia ser atacado por crustáceos, mandou construir uma caixa de madeira, dentro da qual era mergulhado nas águas da Praia do Caju, nas proximidades do Palácio de São Cristóvão. A caixa era uma banheira portátil, com dois varões transversais e furos laterais por onde a água do mar podia entrar. O rei permanecia ali dentro por alguns minutos, com a caixa imersa e sustentada por escravos, para que o iodo marinho ajudasse a cicatrizar a ferida.

Aliás, esses mergulhos improvisados na Praia do Caju, a conselho médico, são a única notícia que se tem de um banho de D. João nos treze anos em que permaneceu no Brasil. Quase todos os historiadores o descrevem como um homem desleixado com a higiene pessoal e avesso ao banho.

O nome completo de D. João VI era João Maria José Francisco Xavier de Paula Luís Antônio Domingos Rafael de Bragança. Foi o último monarca absoluto de Portugal e o primeiro e único de um reino cuja existência não durou mais do que cinco anos: o Reino Unido do Brasil, Portugal e Algarves. Nasceu em 13 de maio de 1767 e morreu em 10 de março de 1826, dois meses antes de completar 59 anos.

Em 1792, quando se confirmou que a mãe estava irremediavelmente louca, assumiu o poder régio em caráter provisório. Teve o apoio e a colaboração do Conselho de Estado, composto de nobres, militares e representantes da Igreja. Sete anos mais tarde, em 1799, passou à condição de príncipe regente, o que, na prática, fazia dele um rei ainda sem coroa. A aclamação, com o nome de D. João VI, só aconteceu em 1816, dois anos após a morte da mãe e oito depois da chegada ao Rio de Janeiro. Com seu caráter indeciso e medroso, governou Portugal em meio a um dos períodos mais turbulentos da história das monarquias europeias.

D. João referia-se a si mesmo sempre na terceira pessoa: "Sua majestade quer dormir", "Sua majestade quer passear", "Sua majestade quer comer". Era também um homem metódico, que tinha a mania de repetir sua rotina diária de forma rigorosa. Sofria crises periódicas e profundas de depressão. Ao contrário dos reluzentes reis da França e Espanha que o precederam, D. João vestia-se mal. Repetia a mesma roupa todos os dias e recusava-se a trocá-la mesmo quando já estava suja e rasgada. "A sua roupa habitual era uma vasta casaca sebosa de galões velhos, puída nos cotovelos", conta Pedro Calmon. Na algibeira dessa casaca, o rei levava os famosos franguinhos assados na manteiga, sem ossos, que devorava no intervalo das refeições.

A banheira portátil do rei

OS TRÊS PODEROSOS

Três homens exerceram um papel fundamental na história de D. João VI. Foram eles que, em diferentes momentos de sua vida, além de ajudá-lo a superar o medo, a timidez, a insegurança e as crises de depressão, orientaram-no na tomada de decisões que haveriam de marcar profundamente seu reinado.

O primeiro foi D. Rodrigo de Sousa Coutinho, o Conde de Linhares. Herdeiro e afilhado do Marquês de Pombal, tornou-se o principal responsável pela mudança da família real para o Brasil.

O segundo foi Antônio de Araújo e Azevedo, o Conde da Barca. Sucessor de D. Rodrigo no ministério de D. João, era considerado um dos intelectuais mais ilustres da corte no Brasil. Foi ele quem trouxe as máquinas impressoras inglesas que inaugurariam a imprensa no Brasil. Coube também a ele importantes transformações na área da cultura e das ciências, incluindo a vinda da Missão Artística Francesa, em 1816.

O terceiro homem decisivo na vida de D. João foi Tomáz Antônio Vilanova Portugal, sucessor dos dois primeiros no ministério. Na fase final de seu governo no Brasil, já velho e cansado, D. João confiava cegamente em Vilanova Portugal. "D. João não se dava ao trabalho de pensar", conta o historiador Tobias Monteiro. "Por mais insignificante que fosse a decisão para tomar, cabia a Tomás Antônio resolver."

Foram esses três homens que ajudaram a salvar a biografia de D. João VI, aparentemente condenada ao fracasso caso dependesse apenas dos traços de sua personalidade. Graças a eles, D. João passou para a história como um soberano relativamente bem-sucedido, especialmente quando comparado aos seus pares da época, todos destronados, exilados, presos ou mesmo executados pela onda revolucionária francesa.

CARLOTA JOAQUINA

Poucas mulheres marcaram tanto o seu tempo quanto Carlota Joaquina. Nenhum outro personagem da época de D. João VI passou para a História com imagem tão polêmica e caricata. Inteligente, briguenta e vingativa, ela mereceu dos historiadores perfis diametralmente opostos.

No filme de Carla Camurati, *Carlota Joaquina – princesa do Brasil*, é uma rainha devassa e promíscua. Na história oficial portuguesa, uma sobe-

Carlota Joaquina

"Americano se recusa a prestar homenagem a Carlota Joaquina."

rana carola e ultraconservadora. Inegável foi a sua vocação pelo poder e a ambição desmedida que a levaram a participar de inúmeras conspirações e tentativas de golpes, algumas contra o próprio marido. Todas fracassaram.

Carlota Joaquina tinha os olhos negros e graúdos, a boca larga e voluntariosa, de lábios finos, sobre os quais se destacava o buço escuro e pronunciado. Os ângulos do rosto eram retos e viris. Magra, de estatura baixa e cabelos escuros, tinha a pele morena marcada pelas cicatrizes da varíola, contraída quando ainda era criança.

Filha de Carlos IV e irmã de Fernando VII, reis da Espanha, nasceu em 1775 e morreu em 1830, aos 54 anos. Participou de pelo menos cinco conspirações, segundo registram os livros de História. Na primeira, em 1805, tentou destronar o marido e assumir ela própria a regência de Portugal. D. João descobriu o golpe a tempo, puniu os envolvidos e passou a viver separado da mulher. Mais tarde, já no Brasil, Carlota tentou assumir o trono das colônias espanholas na América depois da deposição do irmão, Fernando VII, rei da Espanha, por Napoleão Bonaparte. D. João abortou seus planos impedindo que ela viajasse para Buenos Aires, onde pretendia ser aclamada princesa regente no lugar do irmão.

Carlota Joaquina detestava o Brasil. Em 1807, resistiu o quanto pôde sair de Portugal. "Neste país nada resiste", escreveu depois de chegar ao Rio de Janeiro. "Até as carnes salgadas não duram nada, logo apodrecem." Ao embarcar de volta para Portugal, em 1821, tirou as sandálias e bateu contra um dos canhões da amurada do navio. "Tirei o último grão de poeira do Brasil dos meus pés", teria dito. "Afinal, vou para terra de gente!"

De volta a Portugal, ao se recusar a fazer o juramento à Constituição liberal, perdeu todos os direitos políticos e o título de rainha. Passou o resto de seus dias presa na Quinta do Ramalhão, perto da cidade de Cintra, distante de Lisboa e do poder. Numa carta a D. João, explicou que não jurava só porque já tinha dito que não juraria. Era Carlota Joaquina no papel que desempenhou a vida inteira: teimosa, dura, turrona, irredutível.

Mesmo isolada, em 1824 conspirou para fazer seu filho predileto, D. Miguel, rei de Portugal. O golpe, uma vez mais, deu errado, e D. Miguel acabou exilado, como a mãe.

Até na morte do marido houve suspeitas de participação de Carlota Joaquina. D. João VI morreu em 1826, acometido por acessos de náuseas e vômitos. Rumores na época falavam em envenenamento, ordenado pela rainha. Depois da morte de D. João, ela se envolveu numa derradeira conspiração, na qual tentou aclamar D. Miguel em detrimento da regente Isabel Maria. Perdeu mais uma vez.

Foi controvertida até à morte. Pela versão oficial, teria morrido de uma doença no útero, provavelmente um câncer. Os boatos na época, no entanto, diziam que teria apressado o próprio fim tomando chá misturado com arsênico. Dois anos antes de morrer, fez um testamento. Estava pobre, falida, mas teve dinheiro para encomendar 1 200 missas. Cem delas para a alma do marido, o rei D. João VI, morto quatro anos antes.

Carlota Joaquina aos dez anos mordendo a orelha de D. João

꧁ UM CASAL NADA CONVENCIONAL ꧂

O contraste entre a rainha e o marido era gritante. Dificilmente um outro casal poderia ser tão diferente nas preferências e no comportamento.

D. João era gordo, muito parado e bonachão. Preguiçoso, detestava andar a cavalo. Uma simples caminhada de poucos metros o deixava exausto. Costumava bocejar durante festas e recepções oficiais.

Carlota Joaquina e os filhos

Seu passatempo preferido eram as cerimônias e cantos gregorianos na companhia de padres e monges.

Carlota Joaquina, ao contrário, era vivaz, hiperativa e falante. Embora mancasse, cavalgava como poucos homens de seu meio. Seus passeios a cavalo pelos arredores do Rio de Janeiro ficaram famosos. Adorava festas e manejava bem um canhão.

Exigia, sob ameaças, que lhe prestassem homenagem quando saía pelas ruas do Rio de Janeiro. Pelo protocolo, os homens tinham de tirar o chapéu e se ajoelhar diante da família real, em sinal de respeito. Isso causou uma série de incidentes diplomáticos, uma vez que a maioria dos representantes estrangeiros se recusava a cumprir o ritual. O mais famoso deles envolveu Thomas Sumter, ministro dos Estados Unidos, republicano convicto e vizinho de Carlota no bairro

"Onde achar dinheiro para socorrer tanta gente?"

de Botafogo. Sumter estava passeando a cavalo quando a comitiva da rainha se aproximou a galope. O ministro cumprimentou-a polidamente, mas sem tirar o chapéu ou se ajoelhar.

Carlota exigiu que os guardas o obrigassem a desmontar e cumprir o protocolo. Os soldados cercaram o diplomata e ameaçaram chicoteá-lo. Irritado, Sumter puxou um par de pistolas e avisou os soldados que estava disposto a matá-los caso usassem o chicote contra ele. Em seguida, foi se queixar a D. João.

Num outro incidente, Lord Strangford, representante da Inglaterra, teria levado algumas chicotadas do estribeiro de Carlota Joaquina. Foram tantas as reclamações, que D. João decidiu isentar todos os estrangeiros de qualquer gesto de deferência à família real portuguesa.

Carlota Joaquina e D. João casaram-se por procuração, como era hábito nas cortes europeias. Ou seja, na cerimônia, estavam presentes apenas representantes dela e dele. Conheceram-se pessoalmente um mês depois do casamento. Ela tinha 10 anos. Ele, 17. Eram, portanto, duas crianças, cujo destino estava traçado pelo jogo de interesses das potências da época.

O casamento era uma das formas mais práticas de tentar manter alguma estabilidade na Península Ibérica e evitar as inúmeras guerras, que tantos sacrifícios haviam imposto a Espanha e Portugal nos séculos anteriores. A menina Carlota chegou a Portugal em maio de 1785. Por cortesia, o garoto D. João foi recebê-la na fronteira, mas as confusões do casamento, resultantes do caráter indomável da princesa, não tardariam a aparecer. Na noite de 9 de junho, durante uma festa no Palácio de Vila Viçosa, Carlota teria mordido a orelha do marido e lhe atirado um castiçal na testa. Fazia apenas dois meses que estavam casados.

O ATAQUE AO COFRE

A corte chegou ao Brasil empobrecida, destituída e necessitada de tudo. Já estava falida quando deixara Lisboa, mas a situação se agravou ainda mais no Rio de Janeiro.

Vamos lembrar que entre 10 mil e 15 mil portugueses atravessaram o Atlântico com D. João. E todos dependiam do erário real ou esperavam do príncipe regente algum benefício em troca do *sacrifício* da viagem.

1808

Padre recebe salário para confessar rainha

"Um enxame de aventureiros, necessitados e sem princípios, acompanhou a família real", notou o historiador John Armintage. "Os novos hóspedes pouco se interessavam pela prosperidade do Brasil. Consideravam temporária a sua ausência de Portugal e propunham-se mais a enriquecer-se à custa do Estado do que a administrar justiça ou a beneficiar o público."

O historiador Luiz Felipe Alencastro conta que, além da família real, 276 fidalgos e dignitários régios recebiam verba anual de custeio e representação, paga em moedas de ouro e prata retiradas do Tesouro Real do Rio de Janeiro – uma rica *mesada,* portanto.

Com base nos relatos do inglês John Luccock, Alencastro acrescenta a esse número mais 2 mil funcionários reais e indivíduos exercendo funções relacionadas à Coroa, setecentos padres, quinhentos advogados, duzentos praticantes de medicina e entre 4 mil e 5 mil militares. Um dos padres recebia um salário fixo anual de 250 mil réis – o equivalente hoje a 14 mil reais – só para confessar a rainha.

Era uma corte cara, que gastava sem controle nem juízo, e que jamais se mostrava contente com o que recebia.

Nos treze anos em que D. João viveu no Brasil, as despesas da mal administrada e corrupta Ucharia Real – a despensa de onde saíam as refeições de D. João – mais do que triplicaram. Mesmo com os impostos altos, o déficit crescia sem parar. No último ano, 1821, o buraco no orçamento tinha aumentado mais de vinte vezes – de 10 contos de réis para 239. Apesar disso, a corte continuou a bancar todo mundo.

Onde achar dinheiro para sustentar tanta gente?

A primeira solução foi obter um empréstimo da Inglaterra, no valor de 600 mil libras esterlinas. Esse dinheiro, usado em 1809 para cobrir as despesas da viagem e os primeiros gastos da corte no Rio de Janeiro, seria um pedaço da dívida de 2 milhões de libras esterlinas que o Brasil herdaria de Portugal depois da Independência.

Outra providência foi criar um banco estatal para emitir moeda. E assim nasceu o Banco do Brasil, em outubro de 1808. Para

"*Dos rituais da realeza, nada se comparava ao beija-mão.*"

estimular a compra de ações do Banco do Brasil, a Coroa estabeleceu uma política de *toma-lá-dá-cá*. Os novos acionistas eram recompensados com títulos de nobreza, comendas e a nomeação para cargo de deputado da Real Junta do Comércio, além da promessa de dividendos muito superiores aos resultados gerados pela instituição. Em troca, o príncipe regente tinha à disposição um banco para emitir papel-moeda à vontade, tanto quanto fossem as necessidades da corte recém-chegada. Como resultado, quem era rico e plebeu virou nobre. Quem já era rico e nobre enriqueceu ainda mais.

A mágica funcionou durante pouco mais de dez anos. Em 1820, o novo banco já estava arruinado.

Para piorar a situação, ao retornar a Portugal, em 1821, D. João VI levou todas as barras de ouro e os diamantes que a Coroa mantinha nos cofres do banco, abalando definitivamente a credibilidade da instituição. Falido e sem chances de recuperação, o banco teve de ser liquidado, em 1829, sete anos depois da Independência. Foi recriado duas décadas e meia mais tarde, em 1853, já no governo do imperador Pedro II.

No Rio de Janeiro, a corte portuguesa estava organizada em seis grandes setores administrativos, chamados de repartições. A Mantearia Real era responsável por todos os assuntos relativos à mesa do rei e de sua família, incluindo a lavagem e o fornecimento de talheres e guardanapos. Ao Guarda-Roupas cabia zelar pelas vestimentas de toda a família real. A repartição das Cavalariças cuidava dos animais de cavalgada, de tração das carruagens e seges reais e também dos muares usados em serviços de transporte de mercadorias. A Ucharia e as Cozinhas Reais se encarregavam da alimentação e da bebida. A Real Coutada administrava as florestas e os bosques reais. Por fim, cabia à Mordomia-Mor organizar e administrar tudo isso com dinheiro fornecido pelo erário real e seu braço financeiro, o Banco do Brasil.

A NOVA CORTE

Os dois mundos que se encontraram no Rio de Janeiro em 1808 tinham vantagens e carências que se complementavam. De um lado, havia uma corte que se julgava no direito divino de mandar, governar, distribuir favores e privilégios, com a desvantagem de não ter dinheiro. De outro, uma colônia que já era mais rica do

Rei troca apoio da elite por títulos de nobreza

que a metrópole, mas ainda não tinha educação, refinamento ou qualquer traço de nobreza.

Três séculos após o Descobrimento, o Brasil era uma terra de grandes oportunidades, típica das novas fronteiras americanas, onde fortunas eram construídas do nada e da noite para o dia.

D. João precisava do apoio financeiro e político dessa elite rica em dinheiro, porém carente de prestígio e refinamento. Para cativá-la, iniciou uma farta distribuição de honrarias e títulos de nobreza que se prolongaria até seu retorno a Portugal, em 1821. Apenas nos seus oito primeiros anos no Brasil, D. João outorgou mais títulos de nobreza do que em todos os trezentos anos anteriores da história da monarquia portuguesa. Quem podia pagar virava nobre.

Coube a essa nova nobreza socorrer D. João no seu aperto financeiro. Parte dela se tornou acionista do Banco do Brasil. Outra assinou as inúmeras *listas de subscrição voluntária* que circularam pelo Rio de Janeiro logo após a chegada da corte. Na primeira lista de subscrições, de 1808, a metade dos contribuintes era traficante de escravos, parte da nova nobreza criada por D. João no Brasil.

O encontro das duas nobrezas – a nova e rica com a velha e pobre – se dava nos inúmeros rituais que cercavam a realeza. Incluíam concertos musicais, procissões, missas e outros cerimoniais religiosos. Nada, porém, se comparava ao beija-mão. Era o momento em que o rei, acompanhado de toda a família real, abria as portas do palácio para que os súditos pudessem lhe oscular as mãos, prestar homenagens e fazer diretamente qualquer pedido ou reclamação. Todos tinham o direito de beijar a mão do rei, mesmo quem não era nobre nem fidalgo.

A SENHORA DOS MARES

O Brasil, que por três séculos tinha sido uma terra misteriosa e proibida para os estrangeiros, agora se abria ao mundo. Seus portos, onde até então só entravam navios de Portugal, estavam, finalmente, autorizados a receber embarcações de outros países.

Na prática, essa liberdade de comércio se restringia à Inglaterra – que deveria ser, afinal, a principal favorecida de toda essa empreitada. Em 1810, D. João assinou um tratado especial com o governo inglês que ampliava as liberdades concedidas pela abertura dos portos e dava novas vantagens à entrada dos produtos ingleses no Brasil.

Como a Europa estava ocupada pelos exércitos de Napoleão, naquele momento nenhum outro país europeu tinha condições de comercializar com o Brasil. Vencedora da Batalha de Trafalgar, em 1805, na qual as forças combinadas da Espanha e da França tinham sido aniquiladas pela esquadra de Lord Nelson, a Inglaterra era a única potência com livre trânsito nos mares. Era, portanto, a grande beneficiária das mudanças

"Chegava de tudo. Até patins de gelo."

no Brasil. A partir daí, os portos brasileiros se viram atulhados de produtos ingleses, numa escala nunca antes imaginada.

Chegava de tudo. Muitas coisas eram práticas e úteis, como tecidos de algodão, cordas, pregos, martelos, serrotes, fivelas de arreios e ferragens em geral. Mas havia também excentricidades, como patins de gelo e pesadas mantas de lã – artigos que ninguém imaginava como seriam usados sob o calor úmido e abafado dos trópicos.

Na verdade, eram produtos que as fábricas inglesas despejavam em quantidades monumentais e a preços baixos, graças às novas técnicas de produção desenvolvidas pela Revolução Industrial, do final do século XVIII. Sem acesso ao mercado europeu, devido ao Bloqueio Continental imposto por Napoleão, a Inglaterra despachava tudo o que podia para o Brasil e outros países da América do Sul. Aqui, desembarcavam por uma pechincha e faziam sucesso, fosse o que fosse, entre os moradores habituados à escassez e à má qualidade dos produtos pobres e artesanais que circulavam pelas colônias americanas.

Como resultado da Revolução Industrial, combinada com o domínio dos oceanos e a expansão comercial, a riqueza da Inglaterra dobrou entre 1712 e 1792. Em menos de um século, o volume de comércio nos portos de Londres triplicou. Em 1808, o recém-aberto mercado brasileiro tornou-se um alvo natural dos interesses dessa próspera potência mundial. Claro que tudo era favorecido pelo fato de D. João, por ter escapado de Napoleão sob a proteção da Marinha britânica, dever imensos favores à Inglaterra.

Além das vantagens comerciais, o tratado de 1810 deu aos ingleses prerrogativas especiais. Eles passaram a ter o direito de entrar e sair do país quando bem entendessem, fixar residência, adquirir propriedades e dispor de um sistema de justiça paralelo. Além disso, D. João concedera aos britânicos o privilégio de cortar madeira nas florestas brasileiras para a construção de navios de guerra. E mais: os navios de guerra britânicos, sem limite de número, poderiam entrar em qualquer porto dos domínios portugueses, em tempos de paz ou de guerra.

Napoleão:
o poderoso senhor da guerra

4

COMEÇA A GRANDE TRANSFORMAÇÃO.
O CHEFE DA POLÍCIA TENTA COLOCAR ORDEM NA CASA.
A INVASÃO DOS VIAJANTES. A RESISTÊNCIA DO POVO
PORTUGUÊS A NAPOLEÃO.

Passados os atropelos da chegada, era hora de colocar mãos à obra. Os planos eram grandiosos e havia tudo por fazer no Brasil. Entre outras carências, a colônia precisava de estradas, escolas, tribunais, fábricas, bancos, moeda, comércio, imprensa, bibliotecas, hospitais, sistemas de comunicação eficientes. Em especial, necessitava de um governo organizado que se responsabilizasse por tudo isso.

"O país era desmesurado e virgem, enquanto o novo governo, adventício e indigente, tinha de improvisar e criar tudo", escreveu o historiador Pedro Calmon.

D. João não perdeu tempo. No dia 10 de março de 1808, quarenta e oito horas depois de desembarcar no Rio de Janeiro, organizou seu novo gabinete. Caberia a esse ministério criar um país a partir do nada.

Havia duas frentes de ação.

A primeira, interna, incluiu as inúmeras decisões administrativas que D. João tomou logo ao chegar para melhorar a comunicação entre as províncias, estimular o povoamento e o aproveitamento das riquezas da colônia.

A outra frente era externa. Visava ampliar as fronteiras do Brasil, numa tentativa de aumentar a influência portuguesa na América. Era também uma forma de punir os adversários europeus de Portugal, ocupando seus territórios e ameaçando seus interesses americanos.

No final de 1808, uma tropa de 500 soldados, brasileiros e portugueses, escoltada por uma pequena força naval, invadiu a Guiana Francesa e sitiou a capital, Caiena, cujo governador se rendeu sem resistência no dia 12 de janeiro. Era uma retaliação à invasão de Portugal pelas tropas de Napoleão. Uma segunda ofensiva seria a anexação da chamada Banda Oriental do Rio do Prata, atual território do Uruguai, em represália à aliança da Espanha com a França napoleônica.

Ambas as ações tiveram vida curta. A Guiana seria devolvida à França oito anos mais tarde pelo Tratado de Viena, que redesenhou o mapa da Europa após a queda de Napoleão. Já o Uruguai, ocupado por tropas de D. João em 1817, conseguiria sua independência em 1828.

A TRANSFORMAÇÃO

Com o fracasso dos planos de expansão territorial, restou a D. João se concentrar na primeira – e mais ambiciosa – de suas tarefas: executar mudanças no Brasil para construir nos trópicos o sonhado império americano de Portugal.

Influência francesa na corte

Nesse caso, as novidades começaram a aparecer num ritmo alucinante e teriam grande impacto no futuro do país. Na escala em Salvador, a decisão mais importante havia sido a abertura dos portos. Na chegada ao Rio de Janeiro, foi a concessão de liberdade de comércio e indústria manufatureira no Brasil. A medida, anunciada no dia 1º de abril, revogava um alvará de 1785, que proibia a fabricação de qualquer produto na colônia. Combinada com a abertura dos portos, representava, na prática, o fim do sistema colonial. O Brasil libertava-se de três séculos de monopólio português e se integrava ao sistema internacional de produção e comércio como uma nação autônoma.

Livres das proibições, inúmeras indústrias começaram a despontar no território brasileiro. A primeira fábrica de ferro foi criada em 1811, na cidade de Congonhas do Campo, pelo então governador de Minas Gerais, D. Francisco de Assis Mascarenhas, o Conde da Palma. Três anos mais tarde, já como governador da Província de São Paulo, D. Francisco auxiliaria a construção de outra indústria siderúrgica, a Real Fábrica de São João de Ipanema, em Sorocaba. Em outras regiões foram erguidos moinhos de trigo e fábricas de barcos, pólvora, cordas e tecidos.

A abertura de novas estradas, autorizada por D. João ainda na escala em Salvador, ajudou a romper o isolamento que até então vigorava entre as províncias. Sua construção estava oficialmente proibida por lei desde 1733, com a desculpa de combater o contrabando de ouro e pedras preciosas. Ainda em 1809, uma estrada de 121 léguas (cerca de 800 quilômetros) foi aberta entre Goiás e a região Norte do país. Seguindo um percurso semelhante ao da atual rodovia Belém-Brasília, tinha por objetivo facilitar a comunicação com a Guiana Francesa depois da ocupação de Caiena. Também foram abertos novos caminhos entre Minas Gerais, Bahia, Espírito Santo e o norte do atual Estado do Rio de Janeiro. A Estrada do Comércio, ligando as cidades do Vale do Paraíba, reduziu pela metade o percurso que os tropeiros tinham de percorrer para ir de São Paulo ao sul de Minas.

As regiões mais distantes foram exploradas e mapeadas. O Pará e o Maranhão ganharam uma nova carta hidrográfica. Goiás, a sua primeira companhia de navegação. Expedições percorreram os rios tributários do Amazonas até as nascentes e estabeleceram a comunicação fluvial entre Mato Grosso e São Paulo. A navegação a vapor foi inaugurada em

"As longas filas para homenagear o rei no Rio de Janeiro."

1818 por Felisberto Caldeira Brant, futuro Marquês de Barbacena e primeiro embaixador do Brasil em Londres depois da Independência.

Outra novidade foi a introdução do ensino leigo e superior. Antes da chegada da corte, toda a educação no Brasil colônia estava restrita ao ensino básico e confiada aos religiosos. Ao contrário das vizinhas colônias espanholas, que já tinham suas primeiras universidades, no Brasil não havia uma só faculdade. D. João mudou isso ao criar uma escola superior de Medicina, outra de técnicas agrícolas, um laboratório de estudos e análises químicas e a Academia Real Militar, cujas funções incluíam o ensino de engenharia civil e mineração. Estabeleceu ainda o Supremo Conselho Militar e de Justiça, a Intendência Geral de Polícia da Corte (mistura de prefeitura com secretaria de segurança pública), o Erário Régio, o Conselho de Fazenda e o Corpo da Guarda Real. Mais tarde seriam criadas a Biblioteca Nacional, o Museu Nacional, o Jardim Botânico e o Real Teatro de São João.

A *Gazeta do Rio de Janeiro*, o primeiro jornal publicado em território nacional, começou a circular no dia 10 de setembro de 1808, impresso em máquinas trazidas ainda encaixotadas da Inglaterra. Com uma ressalva: só imprimia notícias favoráveis ao governo.

As transformações teriam seu ponto culminante em 16 de dezembro de 1815. Nesse dia, véspera da comemoração do aniversário de 81 anos da rainha Maria I, D. João elevou o Brasil à condição de Reino Unido a Portugal e Algarves, e promoveu o Rio de Janeiro a sede oficial da Coroa. Havia dois objetivos na medida. O primeiro era homenagear os brasileiros que o haviam acolhido em 1808. O outro era reforçar o papel da monarquia portuguesa nas negociações do Congresso de Viena, no qual as potências vitoriosas na guerra contra Napoleão discutiam o futuro da Europa. Com a elevação do Brasil à categoria de Reino Unido de Portugal, a corte do Rio de Janeiro ganhava direito de voz e voto no congresso, embora estivesse a milhares de quilômetros de Lisboa, a sede até então reconhecida pelos demais governos europeus.

OS ARTISTAS FRANCESES

Enquanto mandava abrir estradas, construir fábricas e escolas e organizar a estrutura de governo, D. João também se dedicava a promover as artes e a cultura. Além disso, parecia decidido a mudar os hábitos da colônia, dando-lhes mais refinamento e bom gosto.

A maior dessas iniciativas foi a contratação, em Paris, da famosa Missão Artística Francesa. A missão chegou ao Brasil em 1816 e era composta por alguns dos mais renomados artistas da época, entre eles Jean Baptiste Debret, discípulo de Jacques Luís David, o pintor favorito de Napoleão Bonaparte.

Oficialmente, o principal objetivo da missão francesa era a criação de uma academia de artes e ciências no Brasil. Esse plano nunca saiu do papel. Em vez disso, o que os franceses fizeram mesmo foi paparicar o rei e a corte, que garantiam seu sustento nos trópicos.

Coube a eles organizar e ornamentar as grandes celebrações que a monarquia faria no Brasil nos quatro anos que antecederam a volta para Portugal e que incluiriam o casamento de D. Pedro e a princesa Leopoldina, o aniversário, a aclamação e a coroação de D. João VI.

A música era, de longe, a arte preferida pela corte portuguesa no Rio de Janeiro. Debret estimou que, em 1815, D. João gastava 300 mil francos anuais na manutenção da Capela Real e seu corpo de artistas. Os concertos eram realizados na própria capela e no recém-

-inaugurado Teatro São João, com 112 camarotes e lugares para 1020 pessoas na plateia.

O Rio de Janeiro, infelizmente para os exilados, nunca seria Londres ou Paris, mas os novos hábitos e rituais importados pela corte logo produziram efeito no comportamento dos seus moradores.

A maneira mais divertida de observar a sofisticação dos hábitos da sociedade carioca é ler os anúncios publicados na *Gazeta do Rio de Janeiro* a partir de 1808. No começo, oferecem serviços e produtos simples, reflexo de uma sociedade colonial ainda fechada para o mundo, que importava pouca coisa e produzia quase tudo que consumia. De 1810 em diante, o tom e o conteúdo dos anúncios mudam de forma radical. Em vez de casas, cavalos e escravos, passam a oferecer pianos, livros, tecidos de linho, lenços de seda, champanhe, água-de-colônia, leques, luvas, vasos de porcelana, quadros, relógios e uma infinidade de outras mercadorias importadas. A influência francesa é marcante. As lojas do Rio de Janeiro estavam repletas de novidades que chegavam de Paris.

As roupas e os novos hábitos transplantados pela corte eram exibidos nas noites de espetáculo do Teatro São João e nas missas de domingo. Nessas ocasiões, um símbolo indiscutível de *status* era o número de escravos e serviçais que acompanhavam seus senhores pelas ruas. Os mais ricos e poderosos faziam questão de exibir as maiores comitivas – verdadeiros desfiles.

No entanto, transformar o Brasil seria uma tarefa muito mais difícil do que D. João imaginava, ou do que qualquer um pensaria, observando as lojas e a pompa das famílias nas ruas da nova sede da corte portuguesa.

O CHEFE DA POLÍCIA

Uma bomba populacional abalou o Rio de Janeiro nos treze anos em que a corte portuguesa esteve no Brasil. O número de habitantes, que era de 60 mil em 1808, dobrou em 1821.

Só São Paulo, transformada na maior metrópole da América Latina na fase da industrialização, na primeira metade do século XX veria um crescimento tão acelerado. No caso do Rio de Janeiro, havia um agravante: metade da população era escrava. Pode-se imaginar o que foi isso

"*O agente civilizador se metia em praticamente tudo.*"

numa cidade que, já em 1808, não tinha espaço, infraestrutura nem serviços para receber os novos moradores que chegavam de Lisboa.

A criminalidade atingiu índices altíssimos. Roubos e assassinatos aconteciam a todo momento. No porto, navios eram alvos de pirataria. Gangues de arruaceiros percorriam as ruas atacando as pessoas a golpes de faca e estilete. Oficialmente proibidos, a prostituição e o jogo eram praticados à luz do dia.

A tarefa de colocar alguma ordem no caos foi confiada por D. João ao advogado Paulo Fernandes Viana. Desembargador e ouvidor da corte, nascido no Rio de Janeiro e formado pela Universidade de Coimbra, Viana foi nomeado intendente-geral da polícia pelo alvará de 10 de maio de 1808, cargo que ocupou até 1821, ano de sua morte. Tinha funções equivalentes ao que seria hoje a soma de um prefeito com um secretário de segurança pública. Mais do que isso, era "um agente civilizador" dos costumes no Rio de Janeiro. Cabia a ele transformar a vila colonial, provinciana, inculta, suja e perigosa, em algo mais parecido com uma capital europeia, digna de sediar a monarquia portuguesa. Sua missão incluía aterrar pântanos, organizar o abastecimento de água e comida e a coleta de lixo e esgoto, calçar e iluminar as ruas usando lampiões a óleo de baleia, construir estradas, pontes, aquedutos, fontes, passeios e praças públicas. Ficou também sob sua responsabilidade policiar as ruas, expedir passaportes, vigiar os estrangeiros, fiscalizar as condições sanitárias dos depósitos de escravos e providenciar moradia para os novos habitantes que a cidade recebeu com a chegada da corte.

Viana era um dos mais influentes auxiliares do príncipe regente, com quem tinha audiências a cada dois dias. Munido de superpoderes, ele se metia em praticamente tudo. Brigas de família e vizinhos, confusões envolvendo escravos e senhores, organização de festas e espetáculos públicos, distribuição de livros e jornais estrangeiros, o comportamento das pessoas dentro e fora de casa – nada escapava dele.

Em ofício ao comandante da polícia em janeiro de 1816, mandou matar os cães vadios. Em outro, ordenou à guarda militar reprimir "assobios, gritos, pateadas, e outros comportamentos e modos incivis que o povo pratica" durante os espetáculos de teatro.

Escravo punido com chibatadas no pelourinho

O ESFORÇO CIVILIZADOR

Uma das primeiras tarefas de Viana no seu novo e ingrato papel de agente civilizador do Rio de Janeiro foi mudar a própria arquitetura colonial da cidade.

Coube a ele executar a ordem de D. João que determinava a substituição das austeras rótulas de madeira nas janelas das casas por vidraças. A medida foi tomada por razões estéticas, mas também por segurança: temia-se que as janelas escondidas atrás das treliças fossem usadas em emboscadas contra a corte portuguesa.

A cruzada para mudar os costumes encontrava um obstáculo na presença maciça dos escravos nas ruas da cidade. Malvestidos, os negros costumavam se reunir nas ruas e praças aos domingos e feriados para jogar, lutar capoeira e batucar. Quando cometiam algum delito, seus donos tinham a prerrogativa de mandar açoitá-los em praça pública.

Relatório do intendente em 1821 revela que um terço de todas as prisões de escravos no período estavam relacionadas a "crimes contra a ordem pública", registrados nos boletins policiais sob o nome genérico de "desordens".

Nada disso, na opinião de Viana, era condizente com o novo patamar de elegância e refinamento que o Rio de Janeiro deveria ostentar com a chegada da família real. Segundo ele, numa cidade que abrigava uma corte, açoitar negros em praça pública era "verdadeiramente indecente". Além do mais, poderia provocar desnecessárias revoltas. Por isso, suas medidas incluíram a proibição de reunião de negros escravos em lugares públicos.

No Rio de Janeiro da corte, a maioria da população andava armada. Pouca gente se arriscava a sair desacompanhada à rua depois do anoitecer. Pedradas eram um tipo de agressão muito comum. Um grande número de escravos era preso por desferir pedradas em pessoas que simplesmente passavam pela rua.

Ao deixar o cargo, em 1821, Viana registrou os seus feitos: "Aterrei imensos pântanos da cidade, com que se tornou mais sadia (...), fiz calçadas na rua do Sabão e de S. Pedro, na cidade Nova: na rua dos Inválidos (...), fiz o cais do Valongo (...), por não haver na cidade abundância d'água para o uso público, consegui (...) conduzir água até para beber em uma légua de distância (...), criei e fui sempre aumentando a iluminação da cidade".

OS VIAJANTES

No começo do século XIX, a colônia brasileira era o último grande pedaço habitado do planeta ainda inexplorado pelos europeus que não fossem portugueses. Embora holandeses e franceses já tivessem ocupado por breves

Estrangeiros descobrem o Brasil

períodos trechos do litoral de Pernambuco e do Rio de Janeiro, respectivamente, o interior do país permanecia como uma vasta terra desconhecida.

A proibição de acesso imposta pelos portugueses tornava a colônia ainda mais misteriosa, devido aos rumores que circulavam na Europa. Na fantasia do Velho Continente, imensas riquezas minerais dormiam escondidas no nosso subsolo, e éramos uma terra com nada mais do que infindáveis florestas tropicais repletas de plantas e animais exóticos, e índios que ainda viviam na Idade da Pedra. A chegada da corte e a abertura dos portos mudou tudo isso de um momento para outro. O resultado foi uma invasão estrangeira sem precedentes.

Existem algumas imagens que volta e meia aparecem nos relatos dos inúmeros estrangeiros que visitaram o Brasil no começo do século XIX. A primeira é a de uma colônia preguiçosa e descuidada, sem vocação para o trabalho, viciada por mais de três séculos de produção extrativista. Outra imagem muito frequente nesses relatos dos viajantes é a do analfabetismo, da falta de cultura e instrução.

Para as ciências, a abertura dos portos e o fim da proibição de acesso ao Brasil representou um salto quântico. O país que se abria aos geógrafos, botânicos, geólogos e etnógrafos era um laboratório imenso, riquíssimo e repleto de novidades.

O VIETNÃ DE NAPOLEÃO

Uma das obras mais visitadas no Museu do Prado, em Madri, é um quadro do pintor Francisco de Goya chamado *Os Fuzilamentos da Moncloa*. Retrata uma cena assustadora ocorrida na noite de 3 de maio de 1808 em Montana Del Príncipe Pio, nos arredores da capital espanhola. Do lado direito do quadro, uma fileira de soldados aponta seus fuzis para um grupo de pessoas ajoelhadas. No centro, uma lanterna no chão projeta uma luz fantasmagórica sobre um homem que, de camisa branca e calça bege, ergue os braços em direção aos atiradores. O instante congelado pelas tintas de Goya é de puro medo e desespero. Aos pés do homem de camisa branca estão empilhados três ou quatro cadáveres cobertos de sangue. Ao seu lado, outras pessoas esperam pelo tiro fatal.

O quadro de Goya é um trágico testemunho dos acontecimentos que abalaram a Península Ibérica no ano em que a família real portuguesa chegou ao Brasil. Na véspera daquelas execuções em massa, os espanhóis se rebelaram contra a invasão das tropas francesas e a deposição do rei Carlos IV. A repressão foi violenta e implacável. Entre a tarde do dia 2 e a noite do dia 3, centenas de rebeldes foram fuzilados nos subúrbios de Madri.

Começava ali um dos confrontos mais sangrentos das guerras napoleônicas – e que teriam consequências profundas para os dois lados em disputa.

Entre 1807 e 1814, Portugal e Espanha foram para Napoleão o que o Vietnã seria para os Estados Unidos quase dois séculos depois. Anos mais tarde, já exilado na Ilha de Santa Helena, o próprio Napoleão registraria em suas memórias: "Foi (a guerra espanhola) o que me destruiu. Todos os meus desastres tiveram origem nesse nó fatal".

A chamada Guerra Peninsular, travada nesses dois países, envolveu uma série de embates não convencionais, de guerrilhas e emboscadas. Era um modo de lutar ao qual as disciplinadas tropas francesas não estavam habituadas. Na Espanha e em Portugal, os franceses tiveram de enfrentar bandos armados com foices, tridentes, paus e pedras, que preferiam emboscadas a batalhas convencionais, e num terreno montanhoso e difícil.

Os erros de avaliação cometidos por Napoleão na Península Ibérica, que haveriam de selar seu destino, começaram pela escolha do homem encarregado de comandar a invasão de Portugal. O general Jean Andoche Junot estava longe de ser um oficial de primeira linha. Um dos motivos para a escolha de Junot era o óbvio despreparo do exército de Portugal. Os franceses não esperavam qualquer resistência por parte dos portugueses. Junot, apesar de suas limitações, poderia dar conta do recado.

Foi um terrível engano. Apesar de muito pobres e sem recursos, portugueses e espanhóis resistiriam obstinadamente. Isso foi fatal para Junot e para o próprio Napoleão. De 29 mil soldados que participaram da invasão de Portugal, só 22 mil voltaram para casa.

A Guerra Peninsular consistiu de duas grandes campanhas.

A primeira começou em outubro de 1807, quando Napoleão pressionou o governo espanhol a dar assistência aos 25 mil soldados franceses que haviam cruzado os Pirineus, a cadeia de montanhas entre a França e a Espanha, para atacar o pequeno e insolente Portugal. Embora a Espanha tenha cooperado, a marcha foi difícil e custou caro aos franceses. Junot entrou em Lisboa no dia 1º de dezembro de 1807, dois dias depois da partida da família real para o Brasil, deixando para trás, sem defesas, uma linha de 644 quilômetros de comunicações e suprimentos com a França.

No começo de 1808, a sempre obediente monarquia espanhola era traída por Napoleão. Uma segunda linha de forças francesas, sob o comando do general Murat, invadiu a Espanha. Em poucas semanas, Murat ocupou todas as fortalezas ao norte e no centro do país e, à frente de 82 mil homens, entrou em Madri no dia 14 de março. Surpreendido pelas tropas francesas, o rei Carlos IV e seu herdeiro, o príncipe Fernando, foram obrigados a abdicar em favor de José Bonaparte, irmão de Napoleão.

A deposição do rei e a brutalidade das forças francesas na Espanha criaram o ressentimento popular, que acabou explodindo na revolta de 2 de maio em Madri. Em 20 de julho, uma força de 20 mil franceses foi cercada e obrigada a capitular na cidade de Bailén. A notícia dessa derrota produziu uma onda de choque na Europa.

Em Portugal, a resistência, organizada pelos ingleses, acabaria sendo maior do que se imaginava. No dia 1º de agosto de 1808, um exército de 15 mil soldados ingleses comandado pelo general Arthur Wellesley desembarcou no litoral português. Três semanas mais tarde, derrotava o general Junot na cidade de Vimeiro.

≈ A CAMINHO DA DERROTA ≈

A segunda fase da Guerra Peninsular envolveu a intervenção pessoal de Napoleão e o envio de seus melhores generais para as frentes de batalha na Espanha e em Portugal. Em dezembro de 1808, o imperador francês entrou em Madri à frente de um monumental exército de 305 mil homens. Foi uma vitória de fôlego curto.

Preocupado com as notícias de conspirações em Paris e de reorganização das forças austríacas, o imperador retornaria à França. A derrota na primeira fase da Guerra Peninsular tinha diminuído bastante o receio dos demais povos em relação ao poder dos franceses. Além disso, dera tempo para que os ingleses pusessem um pé no continente e reorganizassem os desmantelados exércitos espanhol e português.

Em maio de 1809, *sir* Arthur Wellesley, que havia se retirado para a Inglaterra ao final da primeira fase da guerra, retornava a Portugal com um exército reforçado. Nos quatro anos seguintes, utilizou uma combinação de guerrilha com batalhas convencionais e lances geniais, com o que conseguiu expulsar os franceses da península.

Em outubro de 1809, engenheiros britânicos e trabalhadores portugueses começaram a construir uma das grandes maravilhas da moderna história militar. Eram as Torres Vedras, uma sequência de cem fortificações erguidas em posições estratégicas, que começava às margens do Rio Tejo e se estendia até o Oceano Atlântico, formando um cinturão de 48 quilômetros em torno de Lisboa.

As torres, que serviam simultaneamente de postos de observação e de defesa em caso de ataque, revelaram-se intransponíveis. Em julho de 1810, Masséna, um dos mais experientes generais de Napoleão, tentou cruzá-las à frente de 70 mil homens e 126 canhões. Foi inútil. Obrigado a recuar, Masséna abriu caminho para que Arthur Wellesley progredisse lentamente rumo à fronteira com a França. Enquanto isso, Napoleão perdia 250 mil soldados na fracassada tentativa de invasão da Rússia. Dali até a derrota final, em Waterloo, seria só uma questão de tempo.

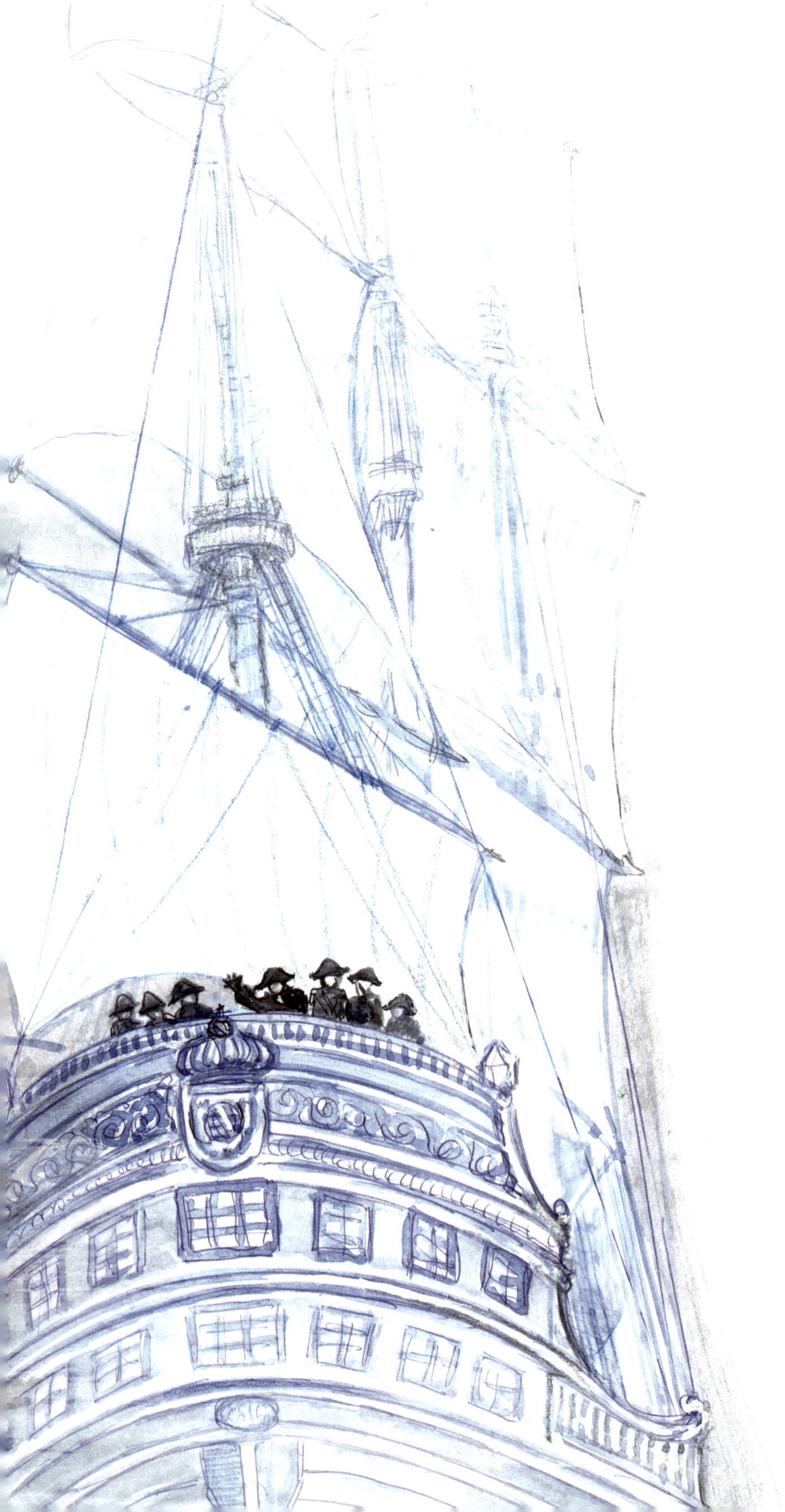

5

A CORTE DE D. JOÃO SE DIVERTE NOS TRÓPICOS.
PORTUGAL, ABANDONADO, SE REVOLTA.
É HORA DE RETORNAR. A CORTE VAI EMBORA, MAS DEIXA
PARA TRÁS UM NOVO BRASIL.

A aclamação do rei D. João VI

O ano de 1818 é considerado o mais feliz de toda a temporada de D. João VI no Brasil. Apesar das dificuldades financeiras da Coroa, o reino estava em paz, o monarca gozava de boa saúde, Carlota Joaquina tinha sido derrotada nas suas conspirações, a colônia enriquecia e prosperava, os hábitos tinham mudado no Rio de Janeiro e, na Europa, a ameaça de Napoleão tornara-se apenas uma lembrança distante. Derrotado por Lord Wellington na Batalha de Waterloo, em 1815, o imperador francês estava preso havia três anos na Ilha de Santa Helena, um rochedo remoto e solitário no Atlântico Sul.

Mesmo empobrecida, restava à corte portuguesa celebrar e aproveitar o clima ameno e tranquilo do Rio de Janeiro. O sonho de D. João, de reconstruir seu império nos trópicos, parecia enfim ter chances de se realizar.

Era uma ilusão.

Dali a dois anos, acontecimentos inesperados dos dois lados do Atlântico o obrigariam a mudar de planos e a reassumir o papel que o destino lhe havia imposto – o de um rei forçado a agir sempre na defensiva, pressionado por eventos que não estavam sob seu controle.

O breve período de festejos da corte portuguesa no Brasil começou em 1817, ano do casamento e do desembarque da princesa Leopoldina, e prosseguiram com a aclamação, a coroação e o aniversário do rei D. João VI, no ano seguinte.

A morte da rainha Maria I, aos 82 anos, na prática não mudava muita coisa. D. João já ocupava o trono havia mais de duas décadas – desde que a mãe fora considerada incapaz de governar.

A forma como esses rituais foram encenados demonstram claramente que D. João VI não estava muito preocupado com a opinião dos súditos brasileiros. O objetivo era impressionar seus pares na Europa. Banido de sua própria capital, Lisboa, exilado em terras distantes, explorado e oprimido pelos vizinhos mais poderosos, submetido a atos de humilhação, como a fuga às pressas por não ter condições de se defender por conta própria, ainda assim o rei português tentava manter a pose.

Não foi por acaso, portanto, que a maior demonstração de luxo e riqueza da corte portuguesa no Brasil foi feita em Viena, a mais de 10 mil quilômetros do Rio de Janeiro. Ali se realizaram, entre fevereiro e junho de 1817, as inúmeras cerimônias que marcaram o casamento por procuração da princesa Leopoldina com o futuro imperador Pedro I.

As celebrações de 1817, iniciadas em Viena, continuaram com a chegada da princesa Leopoldina, no dia 5 de novembro, ao Rio de Janeiro. Os preparativos foram organizados pelo intendente-geral de polícia, Paulo Fernandes Viana. As praias, que em situações normais eram um depósito de esgoto a céu aberto, foram saneadas. As ruas, varridas e lavadas, receberam a cobertura de uma fina camada de areia branca e foram salpicadas com flores aromáticas. As janelas dos casarões foram ornamentadas com toalhas e colchas de renda e damasco. Nas ruas que seriam percorridas pela corte, foram construídos três arcos triunfais, desenhados pelos artistas da Missão Artística Francesa.

No dia da coroação, o rei D. João VI usava um manto de veludo escarlate coberto com fios de ouro. Como havia feito ao chegar ao Rio, em

1808, caminhou novamente do Paço até a Capela Real, acompanhado pelos membros da nobreza e por embaixadores estrangeiros. Depois do juramento, exibiu-se pela primeira vez de cetro e coroa. A cerimônia foi seguida pelos vivas da multidão concentrada diante do Paço Real, pelas salvas de canhões e pelo repique ininterrupto dos sinos das igrejas.

O PENICO DO REI

Fora desses momentos de celebração, D. João VI levava no Rio de Janeiro uma vida pacata e tranquila. Acordava às 6 horas, vestia-se com a ajuda de seu camareiro, Matias Antônio Lobato, o Visconde de Magé, e ia rezar no oratório. Comia frangos com torradas durante as audiências matinais, nas quais recebia os fidalgos mais íntimos e os serviçais da corte. Depois do almoço, dormia uma ou duas horas e, no final da tarde, saía para passear, às vezes dirigindo ele próprio uma pequena carruagem puxada por mulas.

O historiador Tobias Monteiro acrescenta um detalhe pitoresco nesses passeios: o ritual que envolvia as necessidades fisiológicas do rei. Segundo ele, à frente da comitiva ia um moço de cavalariça, a que o povo chamava de *toma largas* – talvez porque abria espaço à passagem do rei ou por usar vestimentas de abas enormes. Esse vassalo montava uma mula, de cuja sela pendiam dois alforjes. Num ia a merenda de D. João VI. No outro, um penico e uma armação composta de três peças que funcionava como um vaso sanitário portátil, para ser usado em campo aberto. A certa altura do passeio, o rei murmurava alguma ordem, o moço descia da mula e montava o equipamento. "Então", acrescenta o historiador, "o rei descia da carruagem e dele aproximava-se o camarista, que lhe desabotoava e arriava os calções. Diante dos oficiais e outras pessoas da comitiva, até da princesa Maria Teresa, sua filha predileta, quando essa o acompanhava, sentava-se beatamente, como se ninguém lhe estivesse em torno. Satisfeito o seu desejo, vinha um criado particular limpá-lo e de novo chegava o camarista, para ajudá-lo a se vestir".

Daí, D. João retomava o passeio, até chegar a hora da merenda. Além da comida guardada no alforje do moço de cavalariça, o rei levava também um estoque extra de galinhas assadas e desossadas. Guardava os pedaços na algibeira do seu casacão encardido e ia comendo enquanto contemplava a paisagem, ou quando parava para conversar com as pessoas que o saudavam pelo caminho.

PORTUGAL ABANDONADO

Os treze anos em que D. João VI permaneceu no Rio de Janeiro foram de fome e grandes sofrimentos para o povo português.

Na manhã de 30 de novembro de 1807, dia seguinte ao da partida da família real, as velas da esquadra portuguesa ainda não tinham desaparecido no horizonte quando o pânico tomou conta de Lisboa. Um pequeno terremoto sacudiu a cidade. Foi interpretado como um presságio sinistro.

E era mesmo.

Sabendo que seriam o primeiro alvo dos ataques franceses, agricultores abandonaram suas propriedades e fugiram para a capital. Quem já estava em Lisboa, correu antes de mais nada para comprar comida. Depois se trancou dentro de casa.

Quando as tropas exaustas e maltrapilhas de Junot entraram na capital, as ruas estavam desertas. Logo em seguida, começou o saque da cidade. As bagagens e cargas deixadas no cais durante a apressada fuga da corte foram confiscadas. Lojas e casas, arrombadas. Os preços dos alimentos dispararam. A moeda se desvalorizou em 60%. As casas de câmbio fecharam por falta de dinheiro em circulação.

Sentindo-se enganado pela fuga da corte para o Brasil, Napoleão impôs a Portugal punições duríssimas. A primeira foi uma indenização de guerra no valor de 100 milhões de francos – uma cifra astronômica, equivalente hoje a cerca de 400 milhões de euros ou 1,2 bilhão de reais, que o país, na situação de penúria em que se encontrava, jamais teria condições de pagar.

Além disso, confiscou as propriedades de todos os portugueses que haviam partido com o príncipe regente, incluindo as terras e os palácios reais. A prataria das igrejas, que, na apressada fuga, ficara abandonada no cais, foi derretida. Parte dos 40 mil soldados do exército português foi incorporada às tropas francesas e despachada para a Alemanha, onde seria

"D. João VI chegou a Lisboa tão vulnerável como quando havia partido."

inglês. No manifesto que distribuíram à população, os militares lamentavam a situação de penúria em que o país se encontrava e a ausência do rei.

Três semanas mais tarde, no dia 15 de setembro, a revolta chegou a Lisboa, onde se registraram várias manifestações populares pedindo o fim do absolutismo monárquico. No dia 27 foi constituída, na cidade de Alcobaça, a Junta Provisional Preparatória das Cortes, que ficariam encarregadas de redigir uma nova Constituição liberal. As Cortes eram um Conselho de Estado previsto no regime monárquico português, que havia se reunido pela última vez em 1698, mais de 120 anos antes. Sua simples convocação, depois de tanto tempo ausente do cenário político português, indicava o quanto o poder do rei estava ameaçado. Pela decisão dos revoltosos, a dinastia de Bragança seria poupada, mas a volta do rei a Portugal virava uma questão de honra.

D. JOÃO DECIDE VOLTAR

No dia 10 de outubro, o marechal Beresford, que tinha viajado ao Rio de Janeiro com o objetivo de pedir mais poderes e recursos a D. João VI para conter a rebelião, foi impedido de desembarcar ao retornar a Lisboa e destituído de suas funções. Em seu lugar, formou-se uma nova Junta de Governo, composta de representantes da burguesia e da nobreza, clérigos e militares, sob a liderança do Sinédrio, organização secreta criada no Porto em 22 de janeiro de 1818 e cujas ideias e articulações haviam sido fundamentais para o sucesso da Revolução Liberal.

Reunidas em fevereiro de 1821, as Cortes tinham uma pauta extensa de trabalho: liberdade de imprensa, elaboração de um novo código civil e criminal, supressão da Inquisição, redução do número de ordens religiosas, anistia aos presos políticos e instalação de um banco em Portugal, entre outras medidas.

A principal exigência, no entanto, era a volta do rei a Portugal. No Rio de Janeiro, o chamado Partido Português, integrado por militares de alta patente, funcionários públicos e comerciantes interessados em restabelecer o antigo sistema colonial e os privilégios da metrópole, também defendia o retorno.

D. João VI enfrentava um dilema insolúvel, que dizia respeito ao futuro do próprio império português. Se voltasse a Portugal,

> "Pedro, se o Brasil se separar, antes seja para ti, que me hás de respeitar, do que para alguns desses aventureiros."
>
> (D. João VI)

poderia perder o Brasil, que, seguindo o caminho das vizinhas colônias espanholas, acabaria por declarar a sua independência. Se, ao contrário, permanecesse no Rio de Janeiro, perderia Portugal, onde o vendaval revolucionário, produzido pelos ressentimentos acumulados em uma década e meia, parecia incontrolável.

De início, D. João cogitou a hipótese de enviar a Portugal o príncipe herdeiro, D. Pedro, enquanto ele próprio permaneceria no Brasil. Seria uma forma de satisfazer as exigências das Cortes e apaziguar os revolucionários. D. Pedro não queria ir por duas razões. A primeira é que se sentia mais à vontade no Brasil, onde havia chegado com apenas dez anos e tinha todos os seus amigos e conselheiros.

A segunda é que sua mulher, a princesa Leopoldina, estava nas últimas semanas de gravidez e poderia ter o filho em alto-mar – uma situação de alto risco para a época.

Depois de muitas discussões, D. João surpreendeu os seus auxiliares com a seguinte frase: "Pois bem, se o meu filho não quer ir, irei eu". Era uma atitude inesperadamente corajosa para um rei que sempre dera mostras de insegurança, medo e indecisão.

O RETORNO

Na noite de 24 de abril de 1821, um cortejo fúnebre atravessou em silêncio as ruas do Rio de Janeiro. Transportava para a câmara ardente de uma fragata ancorada no porto os restos mortais da rainha D. Maria I, falecida em 1816, e do infante D. Pedro Carlos, vítima da tuberculose em 1812. D. João VI acompanhou a procissão à luz dos archotes, atrás dos dois esquifes – um retirado do convento da Ajuda, o outro, do convento de Santo Antônio. Era o ato final da corte portuguesa no Brasil.

Dois dias mais tarde, o rei partia do Rio de Janeiro, contra a sua vontade e sem saber exatamente o que o esperava em Portugal. Deixava para trás um país completamente mudado, que o acolhera com tanta alegria treze anos antes e no qual o processo de independência era já previsível e inevitável.

Tão certa era essa possibilidade que, poucas horas antes da cerimônia fúnebre do dia 24, D. João chamou o filho mais velho e herdeiro da Coroa, então com 22 anos, para uma última recomendação. Foi quando pronunciou a famosa frase: "Pedro, se o Brasil se separar, antes seja para ti, que me hás de respeitar, do que para algum desses aventureiros".

As semanas que antecederam a partida foram tensas e de bastante aflição. Os ecos da Revolução do Porto haviam chegado ao Brasil em meados de outubro do ano anterior, e bastaram algumas semanas para inflamar os ânimos dos brasileiros e portugueses que cercavam a corte. Na manhã de 26 de fevereiro, uma multidão aglomerada no Largo do Rocio, atual Praça Tiradentes, exigia a presença do rei no centro do Rio de Janeiro e a assinatura da Constituição liberal. Ao ouvir as notícias, a alguns quilômetros dali, D. João ficou muito assustado e mandou fechar todas as janelas do Palácio São Cristóvão, como fazia em noites de trovoadas.

Pouco depois chegou o príncipe D. Pedro, que passara a madrugada em negociações com os rebeldes. Vinha buscar o rei, como exigia a multidão.

D. João ficou apavorado com a lembrança de uma cena da ainda recente Revolução Francesa. Foi a noite em que milhares de pessoas cercaram o Palácio de Versalhes, capturaram o rei Luís XVI e a rainha Maria Antonieta e os levaram até Paris, onde, tempos mais tarde e após uma fracassada tentativa de fuga, seriam decapitados na guilhotina.

Apesar do medo, D. João subiu na carruagem que o aguardava e seguiu para o centro da cidade. A caminho, no entanto, percebeu que, em lugar de ofensas e gritos de protestos, a multidão aclamava seu nome. Ao contrário do odiado Luís XVI, o rei do Brasil era amado e querido pelo povo carioca. Depois de uma viagem de meia hora, apareceu trêmulo na sacada do Paço Real. Mal conseguiu balbuciar as palavras que lhe ditaram e que tiveram de ser repetidas por D. Pedro em alta voz, para delírio da multidão. D. João VI, o último rei absoluto de Portugal e do Brasil, aceitava, sim, jurar e assinar a Constituição, que tirava parte de seus poderes.

"AQUI QUEM MANDA É O POVO"

A euforia de 26 de fevereiro, porém, logo deu lugar a novas agitações. Os líderes mais radicais achavam as reformas constitucionais insuficientes. Queriam que o rei cedesse mais. Por isso, uma segunda manifestação popular foi marcada para o dia 21 de abril, aniversário do enforcamento de Tiradentes.

Aos gritos de "aqui quem manda é o povo" e "haja revolução", a multidão reunida na então Praça do Comércio exigia que D. João jurasse a Constituição espanhola, documento mais radical do que o primeiro, adotado na cidade de Cadiz em 1812, durante os levantes da Guerra Peninsular, e que havia se tornado uma inspiração para os revolucionários portugueses em 1820. Queria também que o rei permanecesse no Brasil, contrariando a decisão das Cortes Portuguesas.

Desta vez, a manifestação terminou em tragédia. D. Pedro assumiu pessoalmente o comando da repressão e investiu contra o povo desarmado. Suas tropas deixaram trinta pessoas mortas e dezenas de feridos, no episódio que se tornou conhecido como o Massacre da Praça do Comércio.

*Napoleão Bonaparte morre
na Ilha de Santa Helena*

D. João partiu do Rio de Janeiro cinco dias depois, em 26 de abril. Sua comitiva incluía cerca de 4 mil portugueses – um terço do total que o havia acompanhado na fuga para o Rio de Janeiro, treze anos antes.

Conta-se que o rei embarcou chorando. Se dependesse apenas de sua vontade, ficaria no Brasil para sempre. Porém, uma vez mais, aquele rei gordo, bonachão, sossegado, solitário, indeciso e, muitas vezes, medroso, curvava-se ao peso das responsabilidades que a História lhe impunha.

O retorno da corte deixou o Brasil à míngua, às vésperas de sua Independência. Ao embarcar, D. João VI raspou os cofres do Banco do Brasil e levou embora o que ainda restava do tesouro real que havia trazido para a colônia em 1808.

D. João VI chegou a Lisboa no dia 3 de julho, depois de 68 dias de viagem, tão vulnerável como quando havia partido. Quando saíra, em 1807, era refém da Inglaterra e fugitivo de Napoleão. Agora, tornava-se novamente refém, desta vez das Cortes Portuguesas.

Para os portugueses, que por tantos anos ansiaram pela volta da família real, o retorno de D. João ao cais de Lisboa foi um espetáculo surpreendente, tanto quanto havia sido para os brasileiros treze anos antes. É o que se pode ver nesta descrição de Oliveira Martins: "Já velho, pesado, sujo, gorduroso, feio e obeso, com o olhar morto, a face caída e tostada, o beiço pendente, curvado sobre os joelhos inchados, balouçando como um fardo entre as almofadas de veludo dos velhos coches dourados (...) e seguido por um magro esquadrão de cavalaria – era, para os que assim o viram, sobre as ruas pedregosas de Lisboa, uma aparição burlesca".

O NOVO BRASIL

Em maio de 1821, a esquadra de D. João VI ainda estava na altura do Nordeste brasileiro, a caminho de Lisboa, quando, a milhares de quilômetros a leste de seu curso, nos rochedos solitários da Ilha de Santa Helena, Napoleão Bonaparte deu o último suspiro.

O homem responsável pela fuga da corte portuguesa para o Brasil e por quase todos os tormentos da vida de D. João morreu na manhã de 4 de maio. A causa da morte do imperador francês foi, por muito tempo, alvo de polêmica. De início, suspeitou-se que tivesse

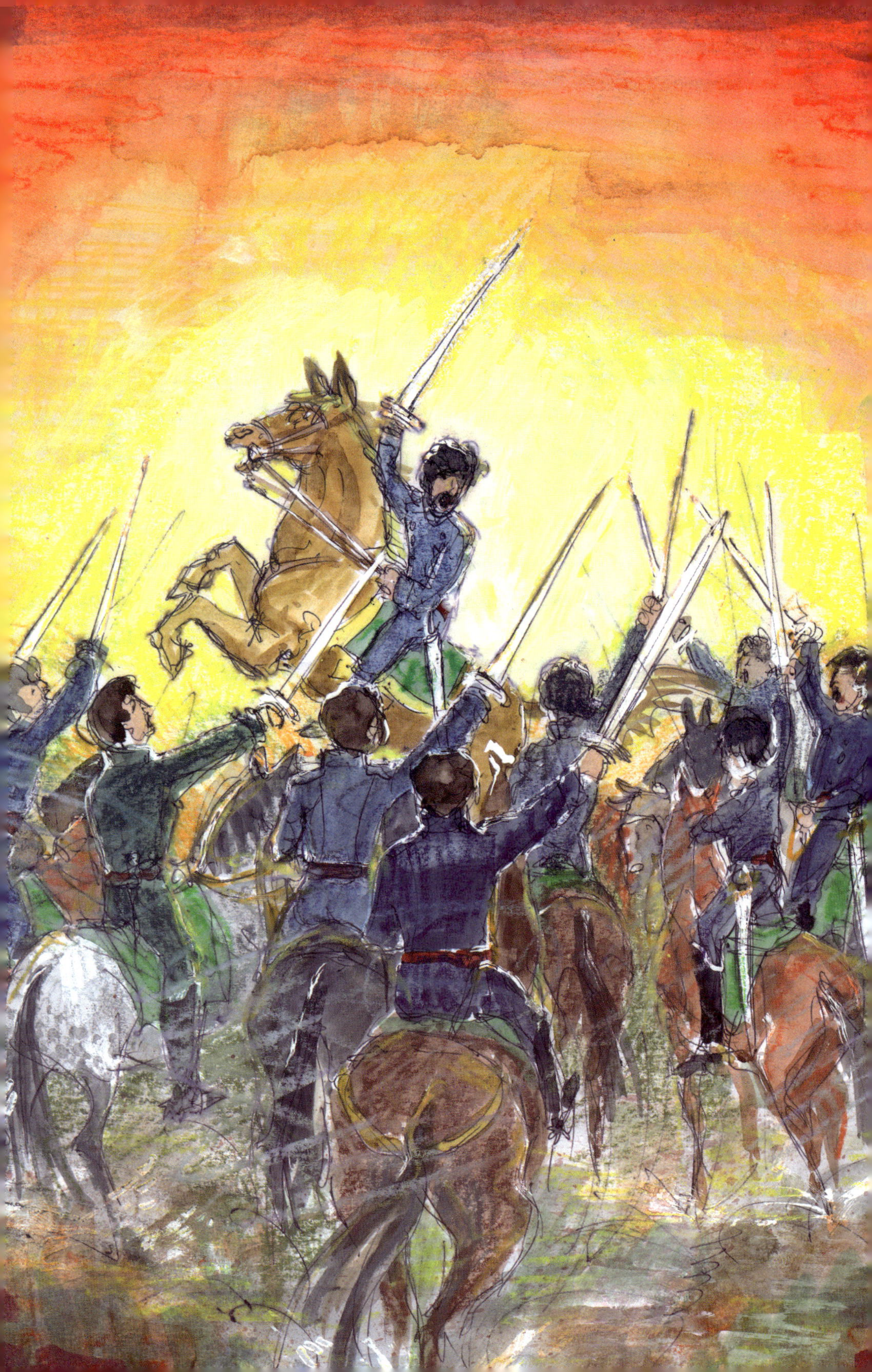

sido envenenado com arsênico. Pesquisas mais recentes apontam que a causa mais provável seria um câncer no estômago.

Enquanto esteve preso em Santa Helena, Napoleão ditou suas memórias, nas quais fez um balanço da vida e da carreira militar, com suas conquistas e derrotas. Para D. João VI reservou uma só frase, lacônica: "Foi o único que me enganou".

Esses dois homens, cujos destinos se cruzaram pela última vez nos mares do Atlântico Sul, deixavam legados que haveriam de afetar profundamente o futuro de milhões e milhões de pessoas.

O de Napoleão, já bem avaliado pelos historiadores, incluía o redesenho do mapa político da Europa. No prazo de vinte anos, o antigo regime monárquico, que por tantos séculos havia dominado o continente, entraria em colapso, dando lugar a um mundo agitado por revoluções em que a autoridade e a legitimidade dos governantes coroados seriam o tempo todo postas em dúvida.

No caso de D. João VI, o legado ainda é motivo de controvérsia. Alguns atribuem ao seu caráter tímido e medroso a derrocada final da monarquia e do próprio império colonial português. Outros, no entanto, o consideram um estrategista político que, sem recorrer às armas, enfrentou com sucesso os exércitos de Napoleão e conseguiu não só preservar os interesses de Portugal, como deixar um Brasil maior e melhor do que aquele que havia encontrado ao chegar ao Rio de Janeiro, em 1808.

Nenhum outro período da história brasileira testemunhou mudanças tão profundas, decisivas e aceleradas quanto os treze anos em que a corte portuguesa morou no Rio de Janeiro. Num espaço de apenas uma década e meia, o Brasil deixou de ser uma colônia fechada e atrasada para se tornar um país independente.

A preservação da integridade territorial foi uma grande conquista de D. João VI. Sem a mudança da corte portuguesa, os conflitos regionais teriam se aprofundado, a tal ponto que a separação entre as províncias seria quase inevitável. Não seríamos este país continental de hoje, mas teríamos o território dividido em diferentes nações.

Graças a D. João VI, o Brasil se manteve como um país de dimensões continentais, que hoje é o maior herdeiro da língua e da cultura portuguesas. Ironicamente, esse legado não seria desfrutado nem por D. João nem pela metrópole portuguesa. "Ele próprio regressava menos rei do que chegou", escreveu Oliveira Lima. "Deixava contudo o Brasil maior do que o encontrara." Em outras palavras, ao mudar o Brasil, D. João VI o perdeu para sempre. O resultado foi a Independência, em 1822.

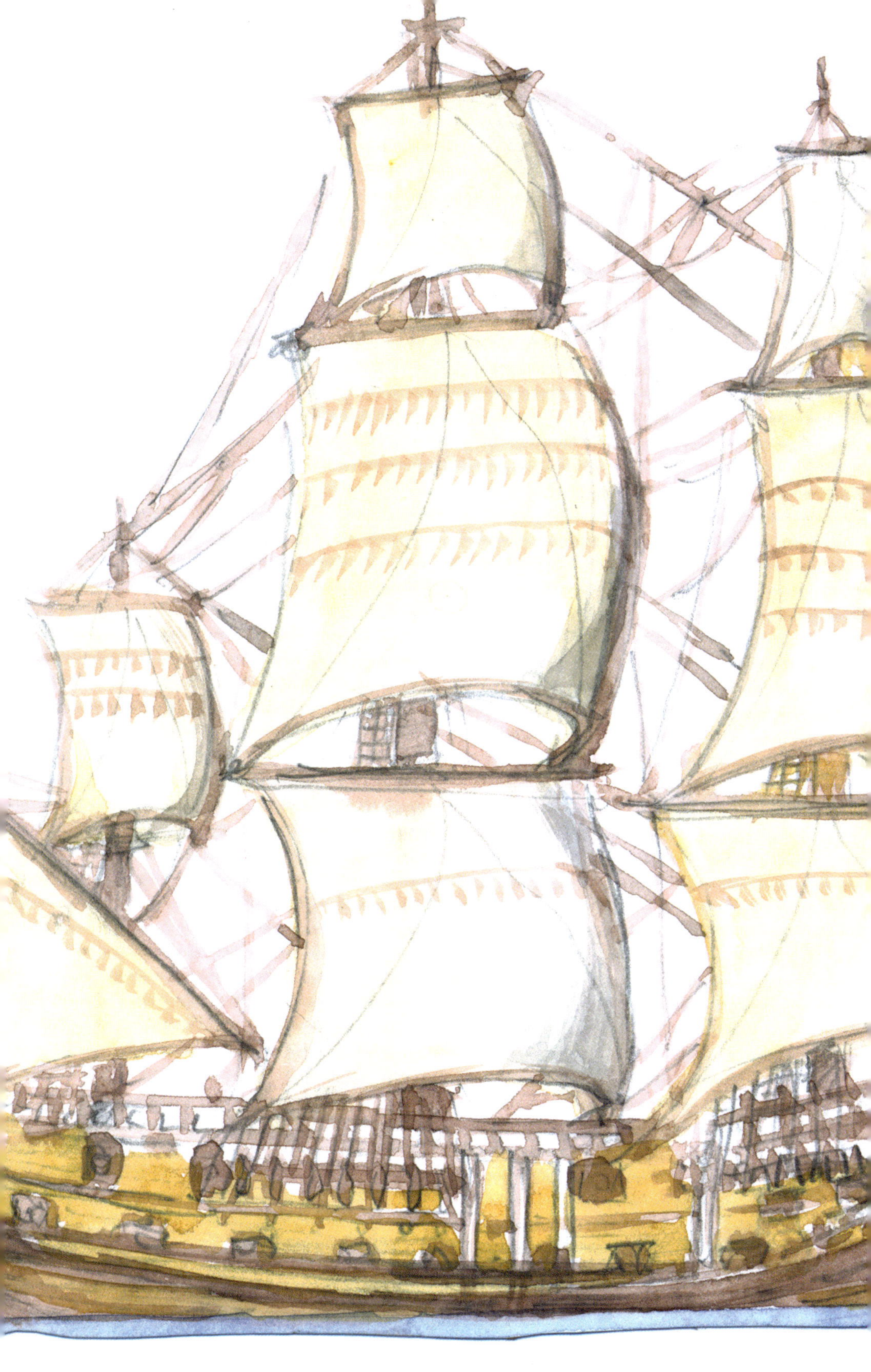

Este livro foi composto em Minion e
impresso pela Intergraf para a Editora
Planeta do Brasil em janeiro de 2015